D1133522

LA GIGANTA

colección andanzas

PATRICIA LAURENT KULLICK

LA GIGANTA

Diseño de la colección: Guillemot-Navares
Fotografía de portada: © With love of photography / Getty Images

Rector: Jesús Ancer Rodríguez
Secretario General: Rogelio G. Garza Rivera
Secretario de Extensión y Cultura: Rogelio Villarreal Elizondo
Director de Publicaciones: Celso José Garza Acuña

Avenida Presidente Masarik núm. 111, Piso 2
Colonia Polanco V Sección
Deleg, Miguel Hidalgo
C.P. 11560, México, D.F.
www.tusquetseditores.com

Casa Universitaria del Libro
Padre Mier 909 Pte. Centro
Monterrey, Nuevo León, México, C.P. 64440
Teléfono: (5281) 8329 4111 / Fax: (5281) 8329 4095
E-mail: publicaciones@uanl.mx
Página web: www.uanl.mx/publicaciones

1.ª edición en Andanzas: marzo de 2015

ISBN: 978-607-421-670-7

Impreso en los talleres de Litográfica Ingramex, S.A. de C.V.
Centeno núm. 162-1, colonia Granjas Esmeralda, México, D.F.
Impreso en México – *Printed in Mexico*

A mis hermanos Rosa María, Jorge Manuel, Magdalena, Eduardo, Gerardo, Jorge Luis, Guillermo, Sergio, Ana Luisa, Margarita, Ernesto, María, Enrique y Luz. A la memoria de mis amados padres, Jorge y Ana Luisa.

I

Tú te ibas a suicidar. Ahogarías en una tina de baño a tus diez hijos, ¿cómo sin que los mayores te descubran y corran? Primero los mayores. Pero si ya tienen trece, doce, once, diez años. Además no tienes tina de baño, tienes un baño grande para lavar la ropa, pero no lo suficientemente profundo.

–Arsénico en la comida.

–¿Qué es arsénico?

–Es un veneno.

–Sí, sí, pero ¿dónde se consigue?

La credencial brilla por la mica y tu sonrisa de mujer hermosa con todos sus dientes a pesar de los diez hijos que Dios te mandó. La vida es hermosa para los suicidas. Hay una dosis de cinismo en saberse pre reventado. Qué rodeo entrar a la universidad; años luz a través de un microscopio y ver a quién vas a envolver con tus encantos para robarte la cantidad exacta de veneno para ti y cada uno de tus diez hijos. ¿Y si dejamos vivos a los demás y solamente nos matamos tú y yo? A mí sí llévame, Giganta, yo corro tras de ti con las rodillas heridas por tanto caerme, el pelo rubio y crespo, la mirada asombrada ante tu culo que va adelante del mío: tu hermoso culo y yo cuidándote, sacándole la lengua al carnicero que no puede quitar la mirada de tus senos. Yo rechacé la leche. No quise tomar tu sangre y entonces por eso tengo estos dientes tan feos y la nariz, horror genético, en lugar de heredar la tuya o la de Etienne, heredé las dos: una encima de la otra.

–No te preocupes –me dices–, la inteligencia se mide por narices, como las carreras de caballos. Los monos son tontos y no tienen más que dos agujeros, en cambio Sócrates...

Cicuta, pero ¿dónde? ¿cómo? Giganta, llévame contigo aunque yo no te lleve conmigo a mi escondite bajo la cama, porque ahí no caben las gigantas; es apenas un diminuto pedazo que descubrí un día que el tío Toño llegó borracho, ¿es cierto que también el esposo de tu hermana Mónica te amaba? El tío llegó alcoholizado porque solamente así se puede enfrentar a las gigantas:

este mundo ha parido a tan pocas que todos quieren un pedazo de su culo, un beso en la pierna, un lengüetazo en la rodilla. El tío Toño se sentó en el banquito para bolear zapatos y quiso besarte las piernas, pero eso provoca muchas cosquillas, además ya está por llegar tu hermana y le diste unas cachetaditas, como a un niño travieso.

Debajo de la cama no hay lugar para las gigantas, aunque te quise hablar cuando llegó tu hermana Mónica y le dio una bofetada al tío Toño y tú te tapaste la cara. Yo quise hablarte.

–¡Pssst, pssst! Giganta, Giganta, aquí, abajo.

Y tú cubriéndote de los golpes que te daba tu hermana menor, tan bella pero tan bruja y de giganta no tiene un ápice, porque enseguida se puso a llorar y las gigantas no lloran, solamente sonríen de medio lado, con un brillo de amargura que rápido se convierte en rayo fulgurante con dos tragos de tequila. El tío balbucea perdones y tú esbozas la mejor sonrisa; amante amadora de tu hermana.

–Mónica, tranquila. Yo tengo mi casa, mis diez hijos, mi marido y además tengo un gran secreto. ¡Mira!– le muestras la credencial que te acredita como estudiante de venenología. Aquí está la vena, el veneno, el venado, la sabiduría y con esto me llevo a todos ¿y sabes por qué? Porque debajo de la cama no hay lugar para las gigantas.

Pero en las aceras sí.

–Este hombre, tu padre, no entiende que debemos comer. Ahí anda enseñándole letras y números a los indios de Oaxaca ¿y sus hijos?

En las aceras sí hay lugar para las gigantas. Nos sentamos a descansar los pies y los hombros del sol despiadado. Las campanas de la iglesia repican las seis y nosotras apenas hemos vendido un lápiz labial y un rímel del catálogo de productos.

–¿Cuánto tenemos? –preguntas.

–Seis huevos.

Me das un golpe en la nuca y me pides que deje de contar todo en huevos. Ya estás sospechando que estoy mal y nomás que sea media tarada, me vas a agarrar a punta de chingadazos. La maestra te mandó llamar para decirte que yo hablaba en clave.

–Uno no puede ir por la vida contando casas, hermanos, libros, lápices y convertir todo en huevos–. Me diste otro coscorrón antes de concluir que a lo mejor estoy llena de lombrices y yo pienso en cuántos huevecillos tendré adentro.

Y eso que no te dije que te has tomado dos mil cuatrocientos setenta y un huevos en tequila desde que te inscribiste en la Facultad de Biología. Entraste para tener una carrera, pero las gigantas no necesitan profesión, la tienen de nacimiento: perdonan fácilmente y aparte sonríen.

–Chingado, qué vamos a hacer.

No, Giganta, no con el carnicero. Tiene mirada de loco.

–Pero parece artista –y sonríes de medio lado.

–¿Y yo para qué chingados quiero maquillajes? –se escandaliza el carnicero.

–Para que se los regales a tu novia –sugieres.

–Bueno, pues, dame uno color carmín.

Toma el lápiz labial, lo abre, se pasa la lengua por los labios, te mira a los ojos, lo envuelve junto con medio kilo de carne molida y te lo extiende. A la salida, lo fulmino con la mirada, pero él no me ve. Yo no soy giganta.

Antes de llegar a casa compramos muchas papas para que inflen el medio kilo de carne. La noche inicia su rito. Los hermanos mayores llegan de lavar carros o de la escuela. Los menores salen de entre los pozos de agua y drenaje. Esta sería la noche perfecta para el arsénico, pero primero debemos conseguir un DDT para despiojarnos: imagínate a los bichos saliéndose en pleno funeral. Qué vergüenza. Bueno, el DDT es barato, más barato que el tequila.

–Sí, sí, ya sé, pero necesito una anforita. Ándale, muñeca –te refieres a mí, la sexta de tus hijos–, corre a la tienda y convence a doña Delia, mañana le pago, nomás para acostarme un rato, nomás para soñar–. Voy saltando en un pie. Un huevo, dos huevos, tres.

II

El olor a tortillas de trigo es lo más cercano al recuerdo del aroma de tus senos. Harina de bodas festiva contra un fuego que la recorre en cámara lenta. El vapor condensa el espacio hasta formar nubarrones. Aquí la gente cree que es al revés: primero la lluvia y luego las tortillas de harina. No. No. Las gigantas saben bien: el trigo asado atrae a la lluvia, vienen dioses de otros mares, tan lejanos que ni siquiera aparecen en el mapa, como este mar catártico en el que me encuentro: el intento de giganta me avergüenza.

Es la época de Jerusalén, cuando todavía no aceptaba el fraude genético. Estoy parada en la carretera a Haifa, esperando un autobús que me lleve a Raanana. Hora del crepúsculo y además Shabbat: todo se detiene para agradecer la creación. Debo andar despacio pero alerta, mientras la noche cuelga un pasamontañas sobre un espíritu que desea esconderse en otra dimensión. Ya habíamos quedado. Me sacaste la promesa de no suicidarme jamás: el gran triunfo que me volvería giganta, luego sonreías por esta muñeca hecha de puros borradores ácidos que se amontonan en el muelle al final de mi cráneo.

Me rehúso a crecer. No tengo un fuerte punto de referencia y si lo hiciera, sería como un total experimento nuevo en mi ADN:

Maturity test: no promovida.

Eject. Eject. Eject. Fuera. Déjenla que siga jugando a crecer, que viaje mucho, que ensaye peyote, coyote, elote con chile, las estrellas, la taquicardia esperando el big bang de todos los niños del mundo que tenemos mucho miedo. Y a Gepeto ¿quién lo invitó? Fuera, fuera, somos aquí pura raza de madera. Es que yo también tengo miedo. Está bien, abuelo, te hacemos un campito debajo de la cama si te traes unas galletas de higo. Pero no nos enseñes tu cosa ni nos hagas mañas, porque vamos a retrasar el proceso de maduración y luego vamos a tener un bajísimo coeficiente emocional.

¡Jamnsin! ¡Jamnsin! Los gritos de los árabes que están en la labor me distraen de tu recuerdo. Una tolvanera de fuego y tierra se divisa en lontananza;

arranca los azahares y a la higuera apenas le rasga los testículos. Nos refugiamos adentro del túnel seco de un arroyo. Es como estar debajo de la cama de Holanda, Alemania, Rusia, Suecia. Los occidentales nos miramos y sonreímos porque no sabemos hacer otra cosa en la oscuridad. Los árabes hablan entre ellos. Huracanes sin agua, polvo ardiente que embarra la memoria en el vendedor de naranjas que metía la mano por la ventana para agarrarte las piernas míticas. ¿Es verdad que te amaba como el carnicero, Alcántara el soldado, el editor González, o fueron inventos, alucinaciones, espejismos del tigre que rasgaba la garganta de Etienne y lo hacía llorar de impotencia? También lo hacía romper cosas, golpear la mesa, reventar las piezas de ajedrez sobre la pared de la cocina, mientras tú entrabas a la tierra de gigantas con la boca cerrada y los ojos volcados al vacío.

¿Dónde está esa tierra que no acepta suicidas? Yo fui a buscarla, junto con la felicidad y no hallé nada. Resulta que la melancolía es un órgano que no puede ser extirpado en Jerusalén. No es como el apéndice, canica de inutilidades que se inflama con cualquier chile picante y se pone como loco ante el álbum familiar. Y cuánta esperanza tuve.

Dije: algo de las gigantas tiene que haber aquí. Lo primero que vi en Jerusalén fue una enorme puerta que me hizo ponerme seria treinta segundos, hasta pensé que ahí estaba la madurez. Y entré con las manos detrás de la espalda, exponiendo el plexo que ya tenía yo destrozado. Ahí sí no podemos echarle la culpa a la ciudad, sino al puto miedo, al vendedor de naranjas, a los golpes, a las astillas, a las drogas, a las fiestas de fin de año que siempre empezaban tan bien.

Se detiene un coche para ofrecerme un aventón, si quiero me puede llevar hasta Tel Aviv, son dos horas más. Voy a recoger las cartas que me escribiste y voy preparando la respuesta: todo está bien. Te hablo de posibles becas gracias a la inteligencia por narices que heredé, pero la verdad, Giganta, no tengo la más puta idea de lo que estoy haciendo aquí. De pronto me siento sobre una piedra y lloro por un viaje de regreso. Miro pasar a los aviones de guerra: pájaros en luto y luego, unos momentos después, los persigue su propio ruido. Un sonido tristísimo, preludio canceroso. Veo el crepúsculo y los aviones; el disco del sol metiéndose en el mar.

III

¿No será el DDT el culpable de que el cerebro salte de esta manera? De pronto se me ocurre. Tanto piojo, tanto parásito, tanta memoria sin cabeza. ¿Sabías que ahora es una sustancia prohibida? Y tú que nos pusiste litros y litros hasta llenar con un charco de veneno el último de los poros, las orillas de las paredes, la estufa, abajo del refrigerador, en las patas de la cama. Con tanto insecticida, los ángeles guardianes cayeron fumigados ¿y el delicado himen de la cordura? Ya no puede entrar ni salir el alma. Que se la cargue el carajo junto con los piojos. ¿Con qué, Giganta, vas a empapar el abismo? Litros de DDT desperdiciados que no matan a los parásitos del miedo.

Estábamos hablando de las tortillas de harina, del carnicero, de cuando apareces descalza tras la cortina del baño, oliendo a un jabón que tienes escondido de tus diez hijos porque no hay para todos. El jabón te lo regaló tu hermana Mónica el día de tu cumpleaños junto con una botella de tequila. Bien sabe: uno, dos, tres tragos y la carcajada de giganta que redime a la estirpe humana. El tequila te desflora el canto para convertirte en una diosa con la mirada volcada hacia adentro, la sangre mareada, dando vueltas en espiral desde los pies, haciendo figuras geométricas perfectas por las caderas, las piernas, las rodillas, los senos para salir en eructos primero, luego en roncas carcajadas, no importa que tu hijo Felipe, de apenas trece años, te haya dicho que el Doctor para quien trabaja, le mete el glande, pene, falo, aséptico, higiénico, limpio, saludable y lustroso, pero extremadamente duro por el ano y le duele tanto. Fue aquel día, Giganta, cuando le pidió que lo ayudara con una fiesta para sus colegas, todos ellos neurocirujanos. Felipe cuidaría los coches estacionados en este barrio tan peligroso, pero qué le vamos a hacer, aquí vivimos todos, hasta el Doctor que tiene una casa grosera por encima de la pobreza: dos pisos de azulejo, un ático con ventanita redonda y muchas buganvilias. Felipe es tu cuarto hijo. Mira que tener seis más cuando ya sabías que con cualquier roce de Etienne quedabas embarazada, emparedada, empalizada, inmóvil y a la vez sudorosa, para arriba y para abajo, buscando trabajo, viendo la forma de convencer a tu flamante marido francés para que se olvide de sus servicios gratuitos a los indios. Y a los mestizos, ¿quién los va a ayudar? La Editorial González Garcés y Asociados. Libros de mecánica, medicina, herbolaria, brujería, enciclopedias necesarias para el hogar. Casa por casa, Giganta, puerta por puerta. El Doctor te compra una enciclopedia para niños y le acaricia la cabeza a Felipe que ese día te acompaña cargando redes con libros y panfletos.

–¿Sabes lavar carros? ¿Te quieres ganar unos pesos? –Felipe se enrosca por la timidez. Tu mestizo menos mestizo: bucles dorados y ojos verdes como los de Etienne, que ahora hace su labor de mestizaje cogiéndose a las indias de Oaxaca. Aportando más miembros al club de la raza cósmica.

–Contéstale–. Le propinas un codazo para reprimir su timidez. Esa tarde Felipe se queda a trabajar con el Doctor y regresa cerca de las seis. Trae una bolsa de papel con camisas y pantalones usados que el Doctor le regaló. También un billete grande. Pero tú no sospechas, Giganta, porque para ti el mundo está más que podrido. Nada resulta extraño, ni siquiera que Felipe desee seguir yendo con el Doctor. Debemos parar esto, pero ¿cómo? El arsénico vuelve a ser el pensamiento perfecto, la ecuación de exterminio, el borrador del error mestizo. Es, Felipe, hijo de giganta y ese pedacito de genética, también lo quieren los neurocirujanos.

IV

Deberías de dejar viva a Violeta, tu quinta hija. Puede ir y volver entre dimensiones. Nació con pasaporte para el olvido. Es un hada amargada. Baila, canta, sabe francés y álgebra, pero maldice constantemente. Violeta memoriza los libros, después los recita en espasmos de vómito que va dejando por todos los rincones. En un charco de tortilla con frijoles quedan la vida de Benito Juárez y sus secretos de la masonería. Entre pedazos de tomate caen Pitágoras y El Cid Campeador. Por inercia vamos vomitando uno tras otro y tú pegándonos de coscorrones y levantando a los más chicos en vilo para llegar hasta el baño. Te enoja mucho el vómito colectivo. El desperdicio de alimento, el ácido que mancha las paredes y la denuncia de algún chismoso que entre desperdicios encuentra quién de nosotros se comió el último pedazo de carne que guardabas para Etienne. Luego Violeta se recupera de tanta memoria y graciosamente interpreta a Edith Piaf. Pero debajo de su cama no se escuchan delicadas canciones, sino el gorgoreo de las brujas que quieren todo de ella. «No toques mis cosas», «esfúmate», «desaparece», «muérete», son frases que escuchamos de la boca de Violeta, quien apenas tiene doce años y ya se mueve con mezquina humanidad. Por las noches, cuando todo parece en calma, arriba del techo llega el aquelarre, primero los gatos negros en busca de alimento y cierta protección. Abajo todo muere, solamente se escucha el pulular de los designios. Y ella, con unos rulos puestos en el pelo, aprendiendo a dormir sentada sobre el piso, cuenta las monedas que los ratones ponen debajo de su almohada a cambio de todos los dientes. Por un molar pagan un perfume, por un incisivo, un talco de polvo de mariposa. Mascarillas de barro, lápices de carboncillo japonés, brillos de labios, todo está en su cajita. Duerme abrazada a ella. La tiene atada con un listón rojo y ninguno puede ver el contenido. Pero es ahí donde vacía los sueños.

Violeta quiere succionar todo lo que puede: en Francia, le ha dicho Etienne, el nivel académico es muy alto. Lo que no sabe Violeta es el principio de esta historia: la madre de Etienne aborrece a los mestizos. Pero a Violeta no le importaría. Solamente ama al padre. Para él prepara las mejores calificaciones y los mejores bailes: si no es la Sorbona, será *El Molino Rojo*. El padre tira la carcajada, mientras le habla en francés y los demás hijos desaparecen del baile. Canciones de Edith Piaf: tú sonríes y muestras el lado noble del tequila. Ya no hay más preocupaciones. Solamente risa, tequila y la hermosura de Etienne. Es verdaderamente admirable que este ingeniero francés mamón quiera por lo menos a una hija, porque claro, los otros nueve somos unos buenos para nada: un diamante por nueve carbones.

V

Giganta, después de unos tragos de tequila, ¿te perseguía el suicidio? ¿O todo se volvía digerible? Tal vez valga la pena el mestizaje. El matrimonio entre naciones. Los hijos que traerán la paz al mundo. Los apátridas, burlones, burlados, sin límites ni fronteras, ni bandera, ni una chingada. Pues hay que esperar cuatro o cinco generaciones para que el lodo del ADN se asiente, porque entre el genio francés y la tierra indígena de México hay un espectro de neurosis incontrolable, hay cientos de proyectos jamás concluidos, hay esfuerzos sobrehumanos por entender los números decimales, hay mocos colgando de tu bebé Valeria que no entiende las nalgadas que le dio Etienne por romper el ábaco. Hay un volcán dormido en cada uno de nuestros puños y me pregunto si se puede tomar la regla de cálculo y recargar los logaritmos sin estrujar el alma percudida ya por la ira. La ira es miedo y el miedo, falta de fe. Y para nosotros, los borradores humanos, no hay una bendición suprema: es la llanura, la soledad, el desperdicio de horas enteras aprendiendo letras, números, notas de violín, telescopios, astrolabios, biografías de matemáticos que se batieron en un duelo. Mientras tanto, los vecinos comen pan para la merienda y toman café aguado con leche aguada, con mirada aguada, pero todo lo aguado está prohibido en esta casa, ¿qué no? Los decibeles de llanto son como una trompeta desafinada, la intensidad de la exigencia, la hiperrealidad de las estrellas, tu risa, tus caricias fuertes, la trigonometría de Etienne que no tiene fin. Y su exigencia: ya quiere ver que está en esta tierra de santos chapuceros por un designio divino y Dios nos libre de que vea a Alberto, el mayor de tus hijos, subido en un pódium. Recién ha cumplido los dieciséis años. La Liga Comunista 23 de Septiembre está reclutando adeptos y Alberto tiene el perfil exacto: iracundo, excelente orador, familia disfuncional, pobreza extrema, abandono paternal porque este niño es un patán, se orina en la cama, no tiene un ápice de francés más que las hermosas facciones. Pero a Alberto ya no le importa lo que diga su padre. Las estocadas que lo marcaron sucedieron hace muchos años, cuando tenía nueve y se tuvo que ir a vivir a casa del abuelo materno, el de las galletas de higo, al que le gusta enseñar su cosita.

–No, mamá, por favor, ya no me voy a orinar–, pero tantos golpes a tu hijo mayor, no lo puedes aguantar. Y una mañana brillante, de esas que parecen perfectas, una nítida fotografía que retrata la transparencia del aire y el contorno exacto de las hojas de los árboles, le pusiste un traje de marinerito porque iba a viajar solo en el autobús. Le engomaste el pelo hacia un lado y lo besaste en el lunar de la frente. Ya sabías, porque las gigantas saben todo esto, que ese hijo que ahora derrama lágrimas como enredaderas desquiciadas, no iba a volver jamás. Su triciclo se oxida a velocidades impresionantes, delante de tus ojos, cuando todavía están en el andén y él te promete una y otra vez que será un buen hijo. No se puede ser hijo de giganta y mearse en la cama. Todavía te agarró las piernas con las manos ocupadas por las revistas del hombre araña que le compraste para consolarlo.

–Por favor, mami, no me mandes con el abuelo. Ya no voy a tomar un solo vaso de agua, ni de leche. Mami, te lo suplico... –Alberto, Alberto, no hay lugar debajo de la cama y además la Giganta ya está pensando en el arsénico y te está salvando de ella misma y de Etienne, que tiene grandes expectativas de hijos prodigios, no de cobardes meones y menos de guerrilleros.

–Que no te vea tu padre arriba de ese pódium, –le dijiste a Alberto cuando años después lo encontraste dando un sermón en la plaza del Colegio Civil.

VI

–¡Lo mandaste a la boca del lobo! –Se escandalizó tu hermana Mónica.

–Ay, si supieras lo que le pega Etienne. Es mejor que papá le enseñe la pilinga, a que este pinche francés me lo mate de un golpe.

Un golpe como quiera artero a medianoche, cuando Alberto hace un esfuerzo enorme por no dormir para no orinarse. Escuchar el susurro exacto de la vena del riñón borboteando en busca del túnel oscuro por donde acaba de pasar la sangre, un órgano que infla los cachetes, ¿cuál será la palanquita que no funciona? La campanilla del tren que debe avisarle a los esfínteres y correr los impulsos nerviosos del cerebro para ir al baño. No le sirve el vocero que grita ¡todos a bordo! Tling tling tling, ni una gota más y el silbato de la vejiga anunciando su próxima descarga, ¡todos a bordo! Vamos, próxima parada, taza de porcelana con río rápido y remolinos peligrosos. Pero ese vocero se ha quedado callado, nunca le avisa de la orina, se duerme junto con él cuando finalmente lo vencen el sueño y el cansancio. Ahora no solamente se cuida de orinarse en la cama, sino del abuelo que pulula en las noches estirándose el globito desinflado que le quedó en lugar de pene.

–Papá busca un poco de vida, hijo, no te preocupes. No te hará daño. Lo más que hace es querer besarte para llenarse de saliva nueva–, pero la de él, Giganta, huele a huevo podrido. Le diste un golpe en la nuca, –¡Bueno! ¿Qué en esta casa todo se mide en huevos?

No puede aguantarlo, tiene que irse de ahí. Te lo dijo el día que se vieron en la Central de autobuses. Ha pasado un año desde que no vive contigo. Su semblante se ve mejor, porque la abuela ha tratado de ser una niña juguetona con Alberto y lo mima, y se siente tan bien que en poco tiempo Alberto se irá a vivir con una mujer mayor que tú, Giganta, y nadie sabrá su secreto. Le pidió a Melva, su nueva mujer-madre-tía-abuela, tener su propia recámara. Duerme sobre un hule que luego lava cuidadosamente y esconde bajo el colchón. Ya va a entrar a la Facultad de Sociología y es el único de tus hijos que no necesitará arsénico porque el gobierno de México, sin cobrarte impuestos ni seguro social, se encargará de desaparecerlo.

VII

Esa es buena idea: una camioneta. Nos metes a todos en la caja de atrás y te vuelcas en el primer precipicio de más de veinte metros que encuentres en la carretera. Pero primero nos llevas a pasear. Se puede hacer un viaje a Mazatlán y de regreso, en el Espinazo del Diablo, adiós vida. Todos contentos, tapados, tostaditos por el sol, comiendo sándwiches y huevos duros.

Pero no tienes camioneta. No sabes manejar porque a las gigantas las llevan de copilotos, son tan divertidas y tan hermosas. El pelo de la nuca latiguea el aire. Una pañoleta roja que combina con su labial carmesí. ¿Hay tiburones en Mazatlán? Y te imaginas a la deriva en altamar, después de hacer un agujero a la lancha que rentaste para llevarnos a navegar y nosotros viéndote con cara de angustia. Y tú tan bella, agujerando la lancha y a la vez consolando a los más chicos que intuyen el miedo. Los abrazas diciéndoles que si existe la reencarnación, a la próxima, no nazcan todos de a montón. Tú no puedes con tantos. Ya estás muy cansada, como lo estás ahora de flotar en el sueño donde cada uno de nosotros vamos perdiendo fuerzas y los tiburones que no llegan, ¿dónde están cuando uno los necesita? ¿Sabías que los tiburones te comen a pedacitos? Mejor meternos a la jaula de los leones. O levantarse temprano y atender la Facultad de Biología, en algún momento llegaremos a la clase de venenos. Tal vez era la Facultad de Química donde te debiste haber inscrito. Pero ¿las matemáticas? Etienne tiene mucha paciencia para enseñar a los indios, pero contigo se desespera. Nomás un ciego no puede ver que las gigantas no desesperan a nadie.

Tu segundo hijo, Efraín, también te ahorrará veneno porque se irá de casa para siempre no sin antes tener sus intentos de héroe de azúcar. Es galante y tiene el perfil de rey.

–Es lo único que sabe hacer bien este pinche francés, niños hermosos –le dices a tu hermana Mónica cada vez que, envidiosa, chulea a tus machos.

Efraín se parece al David, su piel brilla como el azúcar blanco. El perfecto hijo fantástico. En alguna parte a donde se marchó, encontró la felicidad, esa fue siempre la única esperanza. No hubo otra posibilidad entre las infinitas redes del destino. No hay otro diseño en el entramado dendrítico de lágrimas que derramas con cada botella de tequila por no saber dónde se encuentra. Quince años era mucho antes, hoy no es nada. Te das cuenta que es tan pequeño y está inválido de melancolía: solamente quiere tocar la guitarra, puros bemoles insoportablemente tristes.

¿Por qué se va Efraín, si es tu más grande ayuda? Cada año cargando al nuevo bebé en brazos y con la otra mano jugando a las canicas con sus hermanitos. También hace máscaras para los números musicales de Violeta. Consigue diamantinas, lentejuelas y cuentas de vidrio para crearle disfraces y vestuarios: a falta de luz propia que los sueños le están robando a Violeta, todo lo que brille es de gran ayuda. Además es un hidrógrafo experto. Reinventa el río de orines de Alberto para evitarle los golpes de Etienne. La presa vira su cauce bajo sus nalgas: él y Alberto se cambian de lugar en la madrugada, apenas con un susurro.

Efraín es el centro de gravedad de una explosión azarosa. Lava un carro y otro y otro, hace mandados. Incansable, lustra zapatos que le permiten ser el proveedor de ilusiones: carga en su red la pócima de agave para ti, Giganta, también es adicto a tu carcajada. De un hatillo de papel periódico, desenvuelve la felicidad: dulces para Oscar, Yasmín y Valeria. Un póster de Donny Osmond para Susana, un plástico grande para la cama de Alberto, porque no solamente son los golpes, sino sacar el colchón al sol para que los vecinos vean la mancha de la vergüenza. Un almanaque con carros deportivos para Carlos quien grita de alegría y se pone a soñar que los maneja. Ya es la hora de dormir y tu hijo Felipe sigue con el Doctor. Sin hacer ruido, Efraín sale de la casa cuando todos duermen. Lo que no sabe él es que los borradores humanos no duermen, sino vigilan porque siempre están al borde de ser borrados de la faz de la Tierra.

Efraín camina por lo menos catorce calles para llegar a donde vive el Doctor. Toca el timbre con forma de ángel que cuelga en la barda de la ostentosa casa. Adentro se ve una luz prendida. No hay ruido. Por allá lejos se escucha la música de algún vecino. Efraín insiste. No quiere regresar a casa sin su hermano Felipe. Van a dar las once y el barrio empieza a cambiar los ruidos del futbol callejero por maldiciones, golpes, peleas, madres ululando ante el brillo de navajas y cadenas, detrás las pandillas empiezan a correr por su vida, por allá está la raza que inhala solventes.

Es tarde. También es tarde en el campamento de don Etienne. Efraín lo extraña. Ama a su padre. Le ha comprado un encendedor para sus cigarrillos. El señor francés de sombrero de lado, flaco, alto, de ojos oceánicos y barba rubia, el ingeniero malhumorado que ahora mismo se encuentra haciendo carreteras en el sur del país, el hombre del otro lado del mar, rabiosamente nostálgico, lleno de aventuras de guerra, el Quetzalcóatl, la *serpiente desplumada* que llegó jalando un astrolabio, el hombre que no puede mirar hacia abajo, hacia sus diez hijos mexicanos. El gigante de la historias de pinos enormes, adicto al vino de Bordeaux y a la canciones de Jaques Brel, a los caballitos de madera, al tabaco rubio liado en papel arroz.

El maricón del Doctor atiende la puerta con una bata de satín. Es más joven de lo que Efraín imaginó. Pregunta por su hermano Felipe. El Doctor le contesta que no está, hace mucho que no va a su casa. Se le nota nervioso. Efraín se da la media vuelta y cuando el Doctor cierra la portón, se esconde detrás de un árbol desde donde estudia la casa.

¿Qué haría don Etienne si supiera?

Efraín piensa en el padre. Golpearía mucho a Felipe, lo encerraría y usaría el cinto para quitarle lo puto. Es mejor que se quede haciendo lo que hace ahora: fuma y mira las estrellas desde la sierra de Oaxaca. Mezcal con gusano para el frío y una mujer que lo consuela mientras escribe tarjetas postales.

La sorpresa es un factor infalible. Efraín encuentra la forma de entrar a la casa: la parte de atrás da a un baldío. El miedo lo llena de fuerza. Varias cosas pueden salir mal. Una pistola que el Doctor tenga y la dispare, diciendo luego a la policía que pensó que se trataba de un ladrón.

–Mire el barrio, inspector, yo cómo sabía que era el hermano de Felipe.

Otra variante sería liarse a golpes con Felipe y con el Doctor. A los dos los derribaría, pues Efraín no tiene talento para la escuela, ni siquiera para la guitarra que tanto le gusta, pero tiene conocimientos natos de box, karate y lucha libre. Todos lo hemos visto pelear, hemos atestiguado cómo el héroe de azúcar primero rehúsa cualquier contacto violento y cuando los adversarios insisten y hacen sus apuestas –porque la fama de su fuerza ha traspasado las fronteras del barrio– se enfrenta sin remedio y siempre derrota a sus rivales. En cambio Felipe es delicado y no se atreve a luchar contra nadie.

Efraín estudia todas las posibilidades, menos lo que ve una vez que brinca la barda y el barandal para llegar a la terraza trasera de la casa del Doctor. Por la ventana que tiene la cortina un poco entre abierta, distingue los bucles dorados de Felipe. Su hermano está sentado de espaldas a la ventana. El Doctor está frente al espejo de un tocador. Hasta ahí, el corazón de Efraín no siente más que un profundo coraje. El Doctor termina de maquillarse, se acomoda una peluca negra encrespada y mira de frente a la oscuridad de la ventana. A Efraín se le corta la respiración, parece una mujer muy bella que ahora camina hacia donde está Felipe y lo besa en la boca. A Efraín le dan ganas de romper el vidrio de un puñetazo antes de que el Doctor o Doctora siga tocando a su hermano, pero la siguiente escena lo paraliza: el Doctor se hinca frente a Felipe y activa la palanca de un tren que tiene armado sobre el piso. Es maravilloso: una máquina de vapor delicadamente terminada, negro obsidiana, con letras blancas impresas. La locomotora arrastra cuatro o cinco vagones, unos cerrados y otros abiertos, como los furgones mineros. En el centro hay dunas que semejan un desierto, indios en posición de combate, caballos y un túnel que se pierde de la vista de Efraín. Pero eso no fue lo que lo paralizó, sino la cara de contento y alegría que no le conocía a Felipe. Su hermano está armando una batalla entre indios y soldados y su rostro parece el de un perfecto extraño. Como los niños tranquilos, felices y rubios que salen en los comerciales de cereal. Efraín mira hacia la noche, hacia el terreno baldío. Después se acerca al barandal para regresar y hasta entonces nota que hay muchos vidrios clavados en la barda que acababa de saltar sin ningún problema. Ya no está lleno de ira. Su corazón está resquebrajado, desconociendo su lugar en la nueva vida de su hermano Felipe.

VIII

¡Jesús el nazareno! Gritas al ver herida a tu hija Susana. En unos segundos descubres que no es sangre sino salsa de tomate por toda su vestimenta. Los más chicos, entre lágrimas y asombro, ven que su hermana mayor se levanta de golpe al verte. Tú la quieres matar de verdad.

–Si nos vamos a morir, nos moriremos juntos –gritas con rabia. No puedes con el susto y empiezas a perseguir a tu hija la melosa, la dulce trágica que siempre se quiere envenenar en pos del amor; Julieta frustrada que ahora corre alrededor de la mesa gritando el nombre de su amado para que venga a rescatarla de tus chanclazos. Ya no le pegues, Giganta, ella nació así, solamente piensa en el amor, no en los frijoles que le encargaste sobre la estufa y que ahora son una masa maloliente que me haces tirar al final del patio.

Ella no tiene la culpa de *Los Tres Mosqueteros*, ni de *La Dama de las Camelias*, ni de *Madame Bovary*, es Etienne en su intento de llevarnos lejos aunque sea en la imaginación; fuera de estos barrios donde el que más sabe cuenta los chicles que vende en la calle, pero Etienne les nota los ojos crispados por el deseo de sus hijas, nieves blancas todas ellas. Es Etienne que nos quiere explicar su mundo. El padre lleno de miedo por el barrio donde terminó viviendo como extranjero tiene miedo de las cadenas, de las pandillas, de las drogas, del tíner, del resistol, de las maldiciones y esa música mexicana horripilante que acaba con cualquier indicio de civilización.

Es Etienne, Giganta, cree que Dios lo mandó a cambiar nuestro destino: quiere que olvidemos estas zanjas abiertas y el hambre, anhela que nos pasemos el día en Los Alpes. Cuando nos cuenta historias, todos cerramos los ojos y bajamos en trineo a su paraíso.

Susana llora por tus golpes. Ya déjala, Giganta, está enamorada del hijo del zapatero, pero éste no quiere saber nada de ella, solamente le interesan las cadenas, los chacos, la botas puntiagudas para dar golpes entre quijada y oreja. No te angusties, Giganta, es una obra de teatro. Los borradores mestizos siempre actuamos. En lugar de información ancestral, el espiral genético está lleno de sospecha. Desconfiamos de cualquier verdad, es nuestra característica.

Tal vez tú no lo entiendas porque eres india de pura cepa, pero este coctel que se aventaron tú y el francés, más el DDT para los piojos, hacen que el ADN se revuelque histérico sobre su propio lodo. Como la memoria, esta sangre de Susana es puro teatro. Debemos llorar alrededor de su cuerpo adornado con flores y velas blancas. Mira, este cuchillo no está enterrado en su pecho, está clavado entre las sábanas para despistar al hijo del zapatero. No nos arruines el plan. Va a venir para ver muerta a su gran amor. Se hincará al lado del cuerpo, levantará la cabeza de Susana, se la pondrá en el regazo y luego la besará. Yasmín, con apenas siete años, no puede ocultar la emoción y brinca cuando describimos el beso.

–Estúpidos–. Habla Violeta, tu quinta hija y futura estudiante de la Sorbona –René no es tonto y no creerá nada de esta historia. Qué mensos. Para empezar a ver si viene, porque en este instante se está drogando con el pegamento de los zapatos. Luego, suponiendo que se decide a venir, lo hará despacito, con los ojos virolos y no podrá dar más de un paso cada media hora. Y cuando se trate de hincar románticamente ante el cadáver de Susana, se caerá arriba del cuchillo, se lo enterrará en el corazón y nos meterán a todos a la cárcel.

No hacemos caso de las advertencias de Violeta, más por aburrimiento que por sensatez.

Ya dejaste de golpear a Susana y ahora sonríes porque te estamos quitando los zapatos para masajearte los pies y tú abres una cerveza mientras nos dices: chingado, punta de cabrones, no me vuelvan a asustar así.

Te dejo con los pies sobre el banquillo y tu risa de tequila. Ahora salgo de la casa, quiero buscar al hijo del zapatero y compensarle tus golpes a Susana. Camino aceras restando a los huevos la salsa de tomate desperdiciada para simular la sangre. El padre zapatero trabaja en completa oscuridad; tardo unos momentos en acostumbrarme a la negrura y al violento olor de los solventes. Los ojos del hombre me miran acuosos. Pregunto por su hijo. No está.

Un huevo, dos huevos, el regreso es más fructífero.

–Le limpio el patio –digo cantando y balanceando el cuerpo en el umbral del tendajo de doña Crucita. La señora sabe que le robamos y prefiere que hagamos algo por su desvalida vejez. Me pone a limpiar las hojas secas de su pequeño jardín y luego me pide que le ayude a buscar su dentadura. No la encuentra desde hace tres días. La casa de doña Crucita parece de enanos y huele demasiado a kerosén. Todo es chiquito: la estufita, la lamparita de gas, la camita, la mesita, la sillita, ella misma es una mujer menuda. Me encanta que me ponga a buscar su dentadura, porque me permite pasar a su casa a robarle dinero de la cajita. Me llevo un peso enorme y antes de irme, me regala seis huevos como pago por limpiarle el jardín.

Cuando regreso ya todo ha cambiado: Susana está arrullando a tu bebé Valeria en la mecedora, Violeta cuenta sus monedas y se prepara para dormir. ¿Cómo se hizo tan tarde? Reconozco que busqué piedras que parecían huevos y cuando miré hacia el horizonte ya asomaban las estrellas. Tú estás en la mesa, tomando tequila. Te sorprende verme entrar, no habías notado mi ausencia. Pero Efraín sí, y anda por las calles silbando la tonada peculiar de todas las noches en busca de sus hermanos: las gigantas son así. Confían. Cada hijo volverá a casa y juntos haremos el gran viaje, ese viaje que tan prometido nos tienes.

Me le acerco a Susana.

–Cuéntame, cuéntame –me urge–. ¿Qué dijo René? ¿Le dijiste que estaba muerta?

–Por eso me tardé mucho. Me dijo que te diera esto –le doy el peso que le robé a doña Crucita– para que te compres un prendedor. Él quería comprarte flores, pero le tuve que decir.

–¿Le dijiste que no me morí? Ya no me va a creer nada. Ahora me tengo que morir de verdad, mensa.

Hermosa Susana, la más parecida a la madre, ya hay demasiados planes en todas las dimensiones para nuestra muerte. No estamos autorizados a existir, no tenemos la bendición divina, no pertenecemos a esta dimensión. Somos parte de una ilusión, de una prestidigitación. Etienne sueña con el regreso a Francia. La Giganta no sabe ni por dónde le llegó esta hilera de hijos y piojos: ella es una gran bióloga experta en venenos. Alberto se fusiona en un movimiento político. Felipe se vuelve niña. Efraín, el acróbata supremo de la felicidad, caerá en el abismo de la ausencia, en el mito de todos los fugitivos.

IX

–¡Jo, jo, jo, jo, jo, jo! –Oyes la risa fingida de tu marido que, como santoclós, anuncia su llegada desde la acera. Lo conoces tan bien que sabes que *jojo* significa que el departamento de Asuntos Agrarios y Colonización no le pagó un centavo, le tienen detenido el cheque porque las etnias se sienten agraviadas con las carreteras y se han manifestado con machetes por donde se encuentran ellos en el campamento.

Sonríes de medio lado mientras destapas el mezcal de regalo que te trajo de Oaxaca. Sirves dos caballitos. No sabes si estás contenta de verlo, y cuánto lo amaste desde el domingo que lo conociste en el kiosco de la plaza. Tenía un sombrero blanco que hacía juego con su saco de lino y tú ya eras giganta, surgías por sobre todas las criaturas del pueblo: hombres, mujeres, ancianos, animales, eloteros, manzaneros. Se miran dos torres, la negra y la blanca. Avanzan por el camellón de los rosales y desaparecen las advertencias sobre el nuevo ingeniero francés a quien le fascinan los volcanes de chocolate, las pieles morenas con olor a vainilla. Cuidado porque es muy guapo y el verde de sus ojos no es más que un cenote para sacrificar mexicas. Además, ese acento enloquecedor, el olor a uva y tabaco, sus costales de lona llenos de extraños aparatos para ver estrellas, medir largos caminos de arena y dinamitar montañas.

¿Dinamita? Podría ser, por qué no. Ya nos bañamos en la playa de Mazatlán y como los tiburones nunca llegaron, ahora regresamos por la sierra con un cargamento de explosivos que le robaste a Etienne. Mucho sol, mucha risa, los más chicos dormidos, los más grandes grabando los recuerdos para siempre, cuando un inocente cigarrillo mal colocado aparece sobre tus labios y tu pañoleta roja y tu risa y la playera decorada con una pintura de Gauguin como feliz dedicatoria a tu querido francés. Ahora sí podrá regresar y atender a su mujer francesa. De pronto ¡pum! Explosión cósmica entre la risa. Sueños en añicos, pedacería de niños, los piojos también, a chingar a su madre. Nos evitamos costosos funerales y oneroso terreno de panteón. El rompecabezas de la raza mestiza que traerá la paz a la Tierra ¡pum!, adiós a los mundos paralelos donde tú y Etienne son otros, mucho mejores. Adiós a la risa por la *Marsellesa* y por los pinitos de navidad tan raquíticos, casi pones un cactus, Giganta. Y sus burlas a los rezos y a las colaciones y a la música mexicana. Ahora sí se puede regresar a donde todo es perfecto. Si yo no sé por qué se vino y él tampoco lo entiende, si allá tenía un buen trabajo, una mujer llamada Margalit y tres hijos. Pero te le atravesaste como espina de huachinango en el mero corazón. Por mientras está bien. En lo que se le quita del pecho esta opresión, esta necesidad de fe, de destino escrito, de raza de nubes, de ojos obsidiana, risitas, timidez, paludismo. Esta necesidad de desierto. Esta necesidad de lluvia intensa y de verdes graves, de montañas para dinamitar, de rocas que son chamanes encubiertos, de peyote, de hongo, pero sobre todo de tequila, esta necedad de vivir bajo el volcán.

–Me embrujaste –te dice Etienne.

La risa de giganta capaz de borrar a Los Alpes completos del mapa, suprimir el regazo de su madre, las ganas de hacer historia y otros hijos que se parecen a los de ahora, pero bidimensionales, que Etienne carga en su cartera. En México todo es por mientras. Las casas. Los fuegos efímeros. Las relaciones utópicas. Los sueldos. La responsabilidad subjetiva, la política truculenta, las celebraciones: macabras maravillas. Hasta la muerte es por mientras. México es un estado mental del cual Etienne no ha podido bajar en diecisiete años.

La culpa. Esa sí es universal. Le sucede a franceses, chinos y rusos. Desde la primera vez que se acostó contigo, Giganta, quedaste bien preñada y luego la falta de dinero, otro niño y el pasaporte perdido, una niña, permisos, ahora un niño, migración, fue otra niña, promesas, otra más, las cartas de desprecio de la esposa francesa, los castigos verbales de la madre de Etienne que llegaban perfumados *par avion*.

–Madre, necesito mucho dinero para regresar ¿cómo voy a dejar a esta india con tanto hijo sin tan siquiera dejarle un poco de dinero? No tengo corazón para hacerlo. Vende la casa. Es muy grande para ti sola. Por favor, ayúdame.

Silencio.

Tal vez todo está escrito.

¿Para qué?

¿Para quién?

Esta vida no da el ancho para que alguien se haya molestado en escribir un guión tan patético. Etienne mira a sus hijos. Más mezcal para la culpa. Giganta: sírvele un vaso grande, olvídate del caballito medida para caballeros, Etienne está entrando en un viaje sombrío, necesita cascos de diablo para caminar por este infierno.

–¿Cómo están todos? –Nos pregunta. Dentadura con exceso de saliva, mueca por el limón, la sal en el dorso de la mano, un nuevo encendedor que le regaló Efraín para sus cigarrillos y los ojos verdes intensamente brillantes.

–Muy bien –Negamos con la cabeza. Los más chicos trepan en sus piernas y los más grandes nos recargamos en su costado.

Nos morimos de ganas por ver el interior del costal de lona: abajo del astrolabio hay paquetes con dulces de leche y frutas cristalizadas, calaveras de azúcar, charamuscas, botellas de mezcal, juguetes de barro, pañoletas tejidas y muchas baratijas.

–¿Y el dinero, Etienne?

Primero que se acuesten los niños. Esta vez Etienne no trae historias de cabañas calientitas en las heladas montañas. Llora y de ti no se escucha murmullo alguno. Yo estoy debajo de la cama. Alcanzo a ver tus ojos acuosos, pero las lágrimas hacen presa en el precipicio de su caída. Es el fuego que se consume en la garganta, la antorcha de agave de las gigantas cuando entran al túnel de la ebriedad. No quieres llorar aunque deberías hacerlo, Giganta, tú conocías a casi todos los trabajadores que murieron en la explosión, pero tú solamente piensas que explotar es una buena idea: cuando salieron huyendo de las etnias oaxaqueñas, uno de los manifestantes aventó una botella con gasolina encendida y pegó en la camioneta llena de explosivos. Eso no es lo peor, Giganta.

Lo peor fue buscar los restos de todos sus trabajadores. Encontró la cabeza de Daniel Badillo colgando de un árbol. Etienne vuelve a sollozar. Porque este mexicano, Daniel, era de verdad su amigo, le enseñaba español y a cambio, Etienne le enseñó a leer y luego a usar los aparatos de topografía para que dejara de ser un simple peón. Etienne toma más mezcal y se pone sal de gusano en el dorso de la mano.

No, Giganta, todavía no acaba. Muchos miembros no se encontraron. Armar los cuerpos fue imposible. Los tuvieron que poner en bolsas negras de basura y colocarles el nombre. Piernas sin pies. Y los que ayudaron a reconocer las ropas que traían puestas. De otro no encontraron ni siquiera un dedo de la mano. Tuvieron que quitarle restos a las otras bolsas y darle a la viuda unos cuantos pedazos. Otro vaso entero de mezcal para Etienne, que ya no juega al paralelo, ni al surrealismo ni a lo subjetivo. Esta es sangre de verdad. ¿Qué demonio se les metió a estos cabrones de

Oaxaca? Si las carreteras las necesitan. No somos más que trabajadores de gobierno.

–Ya no quiero volver ahí –Etienne tiembla y yo nunca lo había visto temblar.

–¿Y el trabajo?

El ingeniero francés no volvió a encontrar trabajo, pero halló un puñado de estrellas con su astrolabio que bien puede indicar un premio astronómico. Ahora su mundo se convierte en un túnel negro que desemboca en el cielo. Etienne ha concluido que los de arriba son más buenas gentes y se ha puesto a espiarles. El techo de la casa es su laboratorio. Francia sí aprecia estos descubrimientos. Si tan solo su madre le contestara las cartas. Es un ramillete de doce estrellas que bautizó como Los Apóstoles. Incontables huevos nos vamos a ganar si un día la Academia de Ciencias le hace caso. Un mundo lleno de promesas se abre al final del astrolabio convertido con complejos mecanismos de espejos y lentes en un telescopio. Con ese dinero nos compraremos un castillo y todos nos vamos a ir a vivir a Francia, excepto Alberto, ese muchacho no tiene remedio. Y lo peor es que se llama como el padre de Etienne. Se revolcaría en la tumba si supiera que se orina en la cama.

X

Giganta, hay un programa en la televisión que anuncia galletas con niños bonitos, güeritos y limpios. No podrías saberlo porque no tenemos televisión. Pero yo, en mis andadas por el barrio, me asomo a ventanas amables que reflejan la luz intermitente del aparato. Yo y mis cuatro hermanos chicos vamos a buscar trabajo ahí. Podríamos comer muchas galletas gratis. Ahora necesito bañar a la pequeña Valeria que apenas anda bamboleante por la casa. Este es el momento precioso para escapar, Giganta, pues yo ya sé que cuando vas a trabajar tú sola, no vendes nada, ni traes huevos a casa. Llegas borracha, semi desnuda y hasta golpeada. Incluso has perdido tu bolso y tus productos. Lo peor es extraviar los catálogos de la Editorial González Garcés y Asociados, ya ves lo difícil que es el correo y se tardan hasta dos meses en llegar. Entonces no hay huevos. No sabemos qué vender. Doña Crucita nos mantiene a todos. Vamos, le limpiamos, le ayudamos, le robamos, y nos regala huevos y leche.

Ahora no estás. Te has ido sola desde la tarde. ¿Por qué te llevas los productos al salón La Flor Negra? Ahí no hay más que viejos travestis con las venas reparadas.

–Son los que más compran.

Pues sí, Giganta, pero luego te bebes la ganancia, o te la roban, o la pierdes. Además uno debería tener la humildad de no usar tacones de aguja en esos lugares, sino tenis para correr y así mantener un poco el equilibrio. Pero la intención –ay, la intención– es beber unas cuantas solamente, bailar un poco con los soldados, venderles un labial, pagar la cuenta y regresar a casa con la red llena de comida. El mercado está a unas cuantas cuadras de La Flor Negra.

Sí, nomás que ya son las tres de la mañana. Y ese no es lugar para gigantas. Además, no se puede beber el espíritu de los cactus y salir impune.

Miras la cortina de hierro que te separa de los pollos que quieres comprar. Eructas. No te has quitado los zapatos. Doce centímetros de tacón y cuarenta grados de alcohol. Ahora oscilas en el mundo astral donde todo vibra más lento.

El sonido llega ondulado, como tratar de conversar bajo el agua. La luz tampoco alcanza a difuminarse, se queda pegada en la lámpara mercurial y no abarca esta oscuridad que huele a inmundicia. Las ratas corren por doquier. Descubres sombras que se mueven con prisa, pero no hay nadie ahí. Tratas de enfocar la mirada. No sirve de mucho, Giganta, porque los glóbulos rojos alcoholizados corren rapidísimo por el torrente sanguíneo y desvían el objetivo de las neuronas. Están desquiciados. Un litro completo de tequila inflama el centro de la razón y lo fragmenta, pero qué más da, si el tequila te cuida la tristeza por un rato. Ya no sabes qué estás haciendo aquí, frente a esta cortina de hierro. Buscas un lugar para dormir. ¿Dónde está tu cama?

Alguien se aproxima, sus pasos reptan por los vellos erizados de la nuca. Crees que es tu esposo y caminas a encontrarlo. El hombre ya venía hacia ti de todas formas. Mira alrededor antes de tratar de arrebatarte el bolso. Es mucho más chaparrito que tú, pero en esas condiciones apenas puedes defenderte. Le ruegas que no te quite el dinero. El hombre empieza a desesperarse y en el forcejeo, te caes. Dices algo en francés, alguna de las frases salpicadas que le has aprendido a Etienne. El hombre está decidido a quedarse con tu dinero, pero tú ya te pusiste boca abajo apretando tu bolso contra el vientre. Empieza a patearte el trasero, ¿Qué idiota hace eso ante un hermoso culo? Mejor levantarte la falda, bajarte los calzones y meterte la mano en el miedo. Ruegas, balbuceas, susurras, te atragantas con tu propia saliva que hace charco entre otros escupitajos llenos de aceite y semillas de sandía. Hay sangre en el piso y no sabes dónde está la herida. Es una úlcera en la mejilla. ¿Y si no te hubieras embarazado jamás?

Tampoco tuvieras a Valeria que ahora te llena la cara de babas con sus besos, mientras Susana y yo tratamos de curarte las heridas. Te robó el bolso, los zapatos, la falda y el saco de terciopelo que usas para ir a bailar con los soldados. Ni siquiera recuerdas su rostro, solamente los dedos ásperos que ahora te quieres borrar con vinagre. A saber qué infecciones genitales te habrá pegado. Nada de bacterias, hongos o virus es buena idea. La muerte es lenta y denigrante. El cuerpo entero se vuelve un universo de monótona podredumbre. Mejor desinfectarse. Felipe lloriquea en un rincón porque le da mucho miedo verte así. Efraín, el héroe de azúcar, golpea la pared con el puño cerrado. Los demás te vemos, Giganta, mientras tú quieres sonreírnos pero es tan lejano el lugar a donde te lleva el tequila que apenas podemos mirarte, peinarte un poco el pelo, llevarte a la cama.

Acá, de este lado del alcohol, la cosa se pone difícil. Ante la ausencia de Etienne y de Alberto el mayor, Efraín revienta un puño cerrado contra la boca de su hermano Felipe:

–¡Deja de llorar, cabrón maricón!

Y tú babeas consuelos para que Efraín se tranquilice. Ahora también sangra Felipe y se vuelve como una niña que baja por el yeso de la pared y cae como ovillo sobre el suelo. Felipe se tapa la cara con las manos ensangrentadas. Entre Susana, Violeta y yo, suplicamos a nuestro héroe Efraín que se calme y apresamos sus brazos en nuestro pecho. Sus manos largas y tersas pero a la vez definidas en una capa de piel callosa sobre nudillos gruesos y huesos fuertes, están siempre llenas de dulces, de magia, de fuerza para levantarnos de las caídas, de ánimo para treparnos a los árboles, para hacer mano cadena en el río y divertirnos hasta orinarnos de la alegría. Las manos que ahora cercan sus mejillas y abofetean sus propias lágrimas con desesperación. El llanto de Efraín sube desde el apéndice, jala todo el miedo inflamado en el intestino grueso, hace parada en el páncreas para salir con un sollozo que duele en la garganta.

Vamos a congelar la escena para el padre, no como una postal de las que él manda desde Oaxaca, sino para inmortalizarla como precursora del Heavy Metal: estamos en la cocina. Hay una ventana con dos postigos que representan la ausencia de Etienne y la liberación de Alberto. Por ahí se pueden ver las estrellas, quizá Los Apóstoles. Felipe sigue en el piso y tiene la cara enterrada entre las rodillas y ulula con un sonido escalofriante. Trae un pijama de satín color vino que le regaló el Doctor y hace resaltar mucho sus bucles dorados y los pies exquisitamente blancos. Llama la atención también la incongruencia de la seda con las paredes manchadas de grasa, el mosquitero roto enlodado de avisperos. Y para darle un toque gótico, el color del satín combina con la sangre que le chorrea a Felipe del labio inferior. La madre está sentada en una silla rogándole a Efraín que se calme, mientras Violeta sacude la cabeza como poseída y chilla fuertísimo alrededor de la mesa cantando *La vie en rose* de Edith Piaf. La madre tiene moretones en piernas y cara, está desnuda, recién vejada y tiene puesta sobre sus hombros una sábana blanca que también se manchó de sangre. Pero aquí es importante resaltar la mirada de la madre, su perfil está girado treinta grados hacia el espectador frontal. Mira un rincón vacío. Los ojos están cargados de agua con destellos de profunda tristeza. Hay en ellos un lugar muy lejano que va más allá de la tierra de su infancia.

Va hacia lo que no debió ser: ahí no hay rosas, ni venenos, ni hijos. Es un sitio sin suelo, lugar ideal para la niebla. Ahí, Giganta, tus hijos somos nonatos y tú estás arriba de un árbol, observando a las pequeñas sombras que apenas inician su definición. Nueve sombritas llamándote, Giganta, porque ahora Alberto pertenece a Melva, su mujer. La buscó casi de la edad de la abuela para que nunca le crezcan hijos.

Es mejor así. Además, Melva es una mujer fuerte que tiene sus correrías con amigas, juegos de baraja, una pensión del Seguro Social y la magia de la cartomancia para señalarle a su joven amante el camino político, los mapas de dos o tres refugios de la Liga Comunista. Hay un detalle, Giganta, los celos le lloviznan la mirada e ignora que El Loco quedó al lado de La Torre, como Alberto adentro de la cajuela de un coche judicial. Y Melva buscando a La Luna y Los Amantes, si abajo o arriba de El Sol, si es eterno, si algún día Alberto va a encontrar a una joven con el vientre enramado para nuevos nidos.

XI

Mientras tu primogénito Alberto está encajuelado, tu segundo hijo, Efraín, continúa en su viaje de héroe de azúcar. Con la prisa del ladrón, pero sin la pericia, busca meter en su morral un camión del tamaño de una caja de zapatos que robó para Felipe.

Es una tarde muy calurosa y la tienda de juguetes está vacía; una empleada somnolienta mira hacia la calle. Efraín abandona la tienda de prisa, con la trompa del camión de redilas a medio salir por la boca del morral. De haber sabido que era tan fácil, se hubiera traído un tren, aunque pensándolo bien, no había en la tienda de juguetes nada parecido a aquella máquina que vio a través de la ventana de la casa del Doctor. Ese sí era un tren de verdad, solo que en miniatura y echaba vapor y hacía un ruido apesadumbrado, como de ausencia, como de adiós, como de militares en guerra, como el tiempo lineal que los indios no alcanzaron a entender. Para ellos el tiempo es vertical y esperan todo de arriba hacia abajo: lontananza jamás fue un enemigo sino hasta que estaba aquí, con sus carabelas, caballos y cañones.

Si el tiempo lineal se viera desde el techo de la casa, entonces hubiéramos podido advertir que Etienne se fumó cinco cigarrillos recargado en la pared de la esquina antes de llegar. Que Felipe tomaba whisky para soportar las embestidas anales a cambio de la riqueza que disfrutaba, que a Efraín ya lo tenían en la mira de los espejos para cuando salió de la tienda con el camioncito de redilas. Hubiéramos podido ver que venía una agresiva alergia para Violeta que la tiraría en cama meses, que Susana perdería al amor de su vida en una riña entre pandilleros y que yo, con apenas once años, decidida antes de la explosión suicida, me escaparía de casa junto con mis cuatro hermanos chicos.

–¿A dónde vamos? –pregunta Carlos resoplando porque él es el más grande de los chicos y lleva nuestro equipaje: una bolsa de plástico con una muda para cada uno, libros para colorear, crayones, unas galletas y leche. Yo voy cargando a Valeria porque si la dejamos caminar, nos retrasa mucho. Va feliz con su vestido rojo. Esta bebé nació con la obsesión de la calle. A ella la intuición sí le funciona bien. Desde que pudo mover las piernas ha querido huir de casa. Habría ganado todas las carreras de gateo con obstáculos, a campo traviesa, por las aceras agrietadas, por la grava de las calles sin pavimento. Con su dedito, siempre señala la puerta. Nació lista para irse. En cambio, Yasmín llora. Desde que nació, hace siete años, no ha parado de llorar. Llora cuando la bañas, cuando te ríes, cuando le cuentas un cuento, cuando la saludas, cuando le retuerces la nariz para que deje de llorar. Todo le parece mal. Por eso no puede aprender las letras. Y el día que Etienne le pegó porque no sabía las vocales, no lloró. Se quedó pasmada, con el llanto metido en la garganta, pero luego en la noche la oí llorar y la metí a mi escondite debajo de la cama y con un gis sobre la base de madera le pinté las vocales, mientras ella lloraba las repetía una y otra vez. Oscar sí sabía las letras, por eso era uno de los favoritos de Etienne, también porque le argumentaba que las guerritas no se hacían en un tablero, sino pegándole al oponente y se le iba a los trancazos al padre o le lanzaba un alfil a la cabeza.

Etienne reía. Esa era la única forma de tenerlo contento: que tuviéramos ideas propias o que supiéramos las cosas sin que nadie nos las enseñara.

Ahora que bordeo el vado del río con mis cuatro hermanos, recuerdo la metáfora de nuestro suicidio colectivo. La perra Yini tuvo nueve cachorritos y con una frialdad inaudita, que en las gigantas siempre parece justicia divina, los ahogas a todos en una tina con agua. Carlos llora de rabia al verte, pero tú le explicas que les estás haciendo un gran favor: van directo al cielo y allá todo es mejor, mucho mejor. Tu corazón está decidido, los ojos hinchados, la papada empieza a asomar haciendo tu hermosura más terrenal. Tienes los pies descalzos y estás sentada en cuclillas dejando ver la fuerza de tus piernas perfectas frente al cubo rebosante de agua y por cada perrito que ahogas, le pides perdón a la Yini que, inexplicablemente, no deja de mover la cola ante el macabro evento.

Colocas los pequeños cadáveres en una bolsa de plástico y me los das para que los tire en el vado. Pero yo no puedo hacer eso, por más que intento distraerme contando huevos. Siento muchos escalofríos. Encuentro un tablón y ahí acomodo a los nueve perritos y los pongo entonces a navegar en la corriente aletargada del río, pero se quedan atorados entre raíces de sabinos.

Ni siquiera pude excavar para enterrarlos.

Me recargo en un árbol y pienso en la huida, pero no porque no te ame, Giganta: yo nací para mirarte siempre, para vigilar tu sueño, acompañarte y cuidarte en la cantina de los soldados. Son las tres de la tarde. Me pides que te espere afuera de La Flor Negra ya que solamente vas a entregar unos productos. Han pasado varias semanas desde el asalto del hombre en el mercado, por eso no quieres venir sola y yo te acompaño. Te espero. Juego horas con las hormigas de la banqueta. Les dejo caer tormentas de golpes y salivazos. Luego les aviento unas pocas lentejas que me llevaste y que son parte de la botana gratis. Hago platillos voladores para las hormigas y me regodeo en ser su giganta, diosa de una tribu de lunares hambrientos. Les pongo obstáculos y los brincan, les hago túneles de piedra y paja, barcos para los escupitajos, entierro a las que acabo de matar y construyo un panteón en un lado, lo que no pude hacer con los perritos. De pronto las campanas suenan nuevamente y el cielo empieza a empañarse de grises profundos, ya no hay sol, pero no creas que estoy cansada, prefiero estar muchas horas en la acera afuera del bar y escuchar tu carcajada que cada vez es más irreverente y desordenada. Ahora sales con un refresco de uva y me dices:

–Muñeca linda, ya casi nos vamos. Es que todavía no llega la Carla y me debe dinero.

La Carla es un hombre grande que, a pesar de vestirse de mujer, no se ha quitado la barba y su voz tiene un timbre de odio que espeluzna.

XII

Qué vericuetos tan caóticos hizo el DDT en el cerebro. Me asombra la sintaxis casi nula y los giros mortales de estructura gramatical. Deseo recuperar la congruencia pero sé que no es más que un invento fascista y además Walt Disney es repudiado por órdenes de Etienne, pero Carlitos no entiende y llora cuando pasamos por la farmacia porque quiere la revista del Pato Donald.

Yo ya no puedo cargar a la pequeña Valeria. Le digo a Carlos que si conseguimos trabajo en la tele, le voy comprar todas las revistas que desee, pero que ya se pare del piso. Ahora también Yasmín llora de hambre. La reprimo al verla recoger cáscaras de pepitas de calabaza. Y eso que apenas llevamos media hora fuera de casa.

–Así no vamos a llegar a ningún lado –les grito.

La única que sigue llena de felicidad es Valeria. Apunta su dedito a lontananza cada vez que paramos a descansar, quiere seguir, irse lo más lejos posible, derecho, derecho, dice el dedito, hacia allá, no importa que apunte a una barda; en el momento en que llegamos, mira hacia un lado y nos vuelve a dirigir con su dedo. Es una brújula para borradores humanos. Creo que no debí traerla. Pero es perfecta para los anuncios de la tele, se parece al bebé Gerber.

Quiero sorprenderte, Giganta, dejarte descansar unos días de nosotros y regresar a casa con mucho dinero. No se me ocurre escribir un recado para tranquilizar tu espíritu, pero hoy lo hago para ti:

GIGANTA: NOS FUIMOS DE LA CASA. NO TE PREOCUPES POR NOSOTROS. ESTAREMOS BIEN. DESCANSA. YO, CARLOS, YASMÍN, OSCAR Y VALERIA.

Cinco hijos de un tirón.

¿Cuándo me iba a imaginar que estabas deshecha por nuestra ausencia? Lloras en posición fetal sobre el piso, mientras Efraín te dice que no te preocupes, él nos va a encontrar. No pudimos haber llegado muy lejos. Cargar a Valeria no es cualquier cosa. No es lo mismo, Giganta, que te arrebaten a tus hijos a que tú decidas borrarlos del mapa. ¿Y el dolor del parto? Si tú nos diste la vida, eres la legítima dueña.

Armaste la casita de muñecas: una recámara para todos, una mesa de bancas largas donde devoramos lo que pones para comer. Cada tortilla de harina que avientas, no logra, ni por asomo, aterrizar sobre el tortillero. Al vuelo nos peleamos por la delicia que amasan tus manos. Escuchar tu garganta pasando traguitos de cerveza, tu risa y el canto alegre que te sale mientras cocinas, nos llena de entusiasmo. Carlos es un tramposo: escupe las tortillas en el aire. Nadie las queremos y de pronto tiene seis o siete al lado de su plato de frijoles. Tu reprimenda no se hace esperar. Un coscorrón en la nuca. Valeria llora porque a pesar de extender sus bracitos no le llega ni una tortilla. Yo le doy un pedazo de la mía y me mira agradecida. Me penetra todas las hondonadas de la caja torácica, luego sacude su cabecita como confirmando su existencia y agradeciendo que alguien le aviente algo de comer. Otra vez el dedito señalando la salida. Parece como si me quisiera decir que si un día nos escapamos, no se me olvide su vestido rojo. Le fascina, lo señala, está colgado en los pocos ganchos que tenemos sobre un clavo. Es un vestido que ha pertenecido a todas tus hijas. Etienne se lo trajo a Susana, luego lo heredó Violeta, yo, Yasmín y por último, Valeria. Siempre señala al vestido rojo, ya sabe que cuando se lo ponemos vamos a ir a una fiesta. Pero los vecinos cada vez nos invitan menos porque solamente llevamos un regalo, mientras consumimos nueve trozos de pastel. Además el regalo son unos taquitos de frijoles hechos por ti. Yo te expliqué, Giganta, a sabiendas de que no creciste a la sombra social de ningún evento que no fuera la feria del pueblo a donde tus padres te mandaban con el burro cargado de repollos, que aquí, en la ciudad, hay que llevar un prendedor o unos aretes, o un moño, o una pelota. En un pequeño concilio dirigido por Violeta, ya decidimos comernos tu regalo en la esquina y llegar sin nada a las fiestas. De vez en cuando, Etienne nos reivindica con algo espectacular. Busca entre sus sacos de lona y encuentra algo atractivo: una cinta de medir metálica, una lupa, una brújula rota que repara y hace brillar con un líquido. Una vez nos hizo un vaso con una botella de vidrio transparente y adentro le puso arena de colores y diamantina. Pero Etienne casi nunca está en casa.

XIII

Nos perdimos buscando el camino para llegar a la tele. Dimos muchas vueltas y ya cansados, nos agarró la noche en la punta del vado. Tampoco encontramos la barca de los perritos muertos, Carlos quería enterrarlos. Imaginamos que teníamos una casita bajo un árbol y cuando nos sentamos sobre sus raíces para descansar, empezó el llanto colectivo por el frío y el hambre. Sin que nos diéramos cuenta, Carlos se comió las pocas galletas que llevábamos. Con gusto me vuelvo a casa, pero ya es de noche y me da miedo bordear el río. Una niña de la escuela me dijo que en el vado se aparece un hombre que te regala una moneda de oro y cuando la tomas con la palma de la mano, el metal te penetra la piel con fuego del infierno y te borra las líneas del destino. Y no es que me importen las líneas de las manos, por más estilizadas y longevas que estén, para los experimentos cósmicos no hay línea que apacigüe al ADN. Carlos, Yasmín y Oscar están dormidos todavía con las mejillas mojadas por el llanto. La bebé Valeria ya no señala los puntos cardinales en su enloquecida carrera, solamente me mira con los ojos llenos de incertidumbre. Sus cachetes regordetes apenas se mueven un poco con la respiración, como si contuviera el aliento para no llamar la atención del hombre de la moneda o de alguna bestia que pulule cerca del río. Ni siquiera se atreve a llorar por el hambre y el frío. Ya muy entrada la noche, se oye el crujir de ramas y pláticas de señores que caminan por el vado. Son trabajadores de Fundidora. Pero nuestro árbol no está en su camino.

Giganta, me muero de miedo.

No puedo cerrar los ojos ni un segundo. Abrazo a Valeria y la aprieto de su pancita. Ella me observa. Mira mi frente, buscando quizás un signo de inteligencia, de esperanza, luego me toca la nariz, la boca y se acurruca en mi pecho.

Siento la sangre estancada en la cima de mi cabeza. Ya han pasado muchas horas. Quiero que amanezca para regresar, pero esta es una larga noche. No debería hacer frío, por la tarde hacía un calor de los mil diablos, pero yo no dejo de temblar. Miro de vez en cuando a la bebé, esperando a que se duerma de una buena vez, pero sigue en vela mientras los otros tres duermen agitadamente. Carlos rechina los dientes, Oscar se remolinea y Yasmín solloza dormida.

Pasaron muchas horas. Las piernas se me entumieron por estar en la misma posición, tratando de dormir a Valeria, cuando de pronto escucho el amado silbido de Efraín. Mi corazón entorpece. No sabe si latir, pararse, flanquear o salir corriendo en un grito. Mi respiración se detiene por completo. Quiero gritar: ¡Aquí estamos, debajo de un árbol! Pero nada sale de mi boca, más que un pujido lastimero que no alcanza los decibeles necesarios para que Efraín me escuche. Otra vez el silbido, como el gorgoreo de un pájaro nocturno. Quiero gritar pero no me sale la voz, está atorada en una trampa de flemas. Me quiero parar y las piernas no responden. Otra vez el silbido. Más lejos. Cada vez más lejos. De pronto Carlos despierta. Me mira extrañado por no responder al conocido silbido y como si toda la vida hubiera estado esperando este momento, sale corriendo de entre las raíces silbando la respuesta. La bebé Valeria está haciendo globitos con la saliva.

No pasan más de tres minutos cuando oigo los pasos de Efraín y Carlos acercándose. Efraín hace a un lado las ramas y me mira. En lugar de reproches, sus ojos rebosan ternura. Me pregunta si puedo cargar a Valeria hasta la casa. Asiento. Despierta a Yasmín con un dulce susurro. Ella lo abraza y le sonríe abundantemente. Carga a Oscar en sus brazos. Le promete carritos nuevos. Carlos va feliz brincando delante de él. Yo y Valeria vamos atrás de todos, bordeando el río. Así, a contra luna, Efraín es un Gigante.

Me miras de soslayo y sospechas hasta de mi sombra. Ya no quieres hablarme, ya no quieres que te acompañe a vender productos, ni que vaya a la tienda a pedir fiado. Estás bien encabronada conmigo porque te hice pasar las peores horas de tu vida. Tus piernas hermosas pataleaban el piso mientras pedías perdón a todos los dioses e invocabas diez mil santos para que tus pequeños aparecieran. Susana y Violeta te miraban desde un rincón de la cocina, sintiendo tus berridos como fauces de bestia en la mera nuca. Felipe con el Doctor. Y Efraín tratando de levantarte de las axilas y no podía con todo y su fuerza sobrenatural, porque tú eres puro ébano, mejor te trajo una almohada para que recargaras la cabeza y te prometió no volver a casa hasta encontrarnos.

Y yo sin poder aclararte que sería incapaz de herirte. Ahora te explico a través de una sonda delgadísima que me provoca una vibración dolorosa por todo el sistema linfático, que sólo íbamos a buscar trabajo en la tele.

XIV

Se murió doña Crucita.

Así quedó, muerta en su casita, con su dentadura puesta que le preocupaba de más, casi nunca se la ponía porque le lastimaba mucho las encías, pero le molestaba mucho perderla.

–Si me encuentras un día muerta, me pones la dentadura.

Yo no la encontré muerta, apestó la cuadra con la tienda abierta. Me tocó ir a buscarla un par de veces, pero no olí nada, tampoco me metí hasta adentro. Miré para todos lados y me traje leche, pan, huevos y hasta un bote extraño que tenía empolvado en un estante alto. Hice una pila con cajones de refrescos. No sabía qué era, pero el dibujo de un niño con turbante sobre una alfombra voladora atrajo mi atención.

Qué delicia.

Senté a mis hermanos menores alrededor del manjar. Una cucharada bastó para que floreciera el entusiasmo. Yo quería invitar a Violeta, tender un lazo con ella y la ricura suave que te estrangula, te cierra la garganta y a la vez te revienta la alegría, tapiza las anginas y cosquillea el placer por los recónditos lugares del paladar. Facilita el perdón. La ira se vuelve chiquita, el miedo desaparece. La crema de cacahuate es un remanso para experimentos cósmicos.

–Prueba esto, Violeta–. Pero ella no lo necesita.

Busqué a Susana para convidarle. Aquel tarro de crema de cacahuate era enorme y parecía no tener fin. Valeria asentía con la cabeza cada vez que yo me embadurnaba el dedo y lo pasaba por sus encías ávidas. Yasmín dejó de llorar. Carlos nos arrebató el tarro y corrió, pero no llegó muy lejos. Lo castigamos varias vueltas antes de dejarlo volver a meter su cuchara. Oscar, que tenía las mismas pretensiones, prefirió esperar su turno.

–Muy bien. Suficiente belleza. Esta no es la realidad.

Ante la mirada atónita de mis hermanos cerré el tarro que estaba a la mitad. Yo más bien recordaba el dolor de panza que me dio una navidad cuando comí muchos cacahuates. Valeria empezó a llorar y a gatear velozmente alrededor de nosotros. Ahora tenía tres cosas qué señalar: el tarro, su vestido rojo y la calle. En trinidad esquizoide, apuntaba a uno y a otro con lágrimas en los ojos.

Al día siguiente, ya no había crema de cacahuate. Alcanzaron Efraín, Violeta, Susana y Felipe, pero quedó el tarro de perfección estética, limpio, transparente, con un Aladino volando en su alfombra mágica para que Valeria pudiera recordarnos. Cada vez que le dábamos huevo o picadillo, iracunda, dispersaba la comida de su plato y apuntaba al tarro de las mil y una noches.

XV

No pude encontrar la tele, pero hallé la escuela de noche que funciona para enseñar educación básica a los adultos. Violeta y yo preparamos un número para presentarlo en la asamblea. Nos van a pagar muchos pesos. Estamos emocionadas porque traeremos decenas de huevos a casa y nos haremos famosas. Somos las hermanas Kankán y tenemos collares largos y flecos que cuelgan de nuestra falda.

Maquillajes, lápiz negro para dibujar unos lunares y lápiz rojo para pintarnos los labios en forma de corazón. Solamente falta preparar el baile. Violeta pierde la paciencia conmigo, dice que tengo un esqueleto imbécil. Y yo trato de imaginar cómo puede un esqueleto ser imbécil. Luego viene y me mueve de los hombros. Quiere formar olas como si fueran de agua y mis huesos siguen una línea simétrica imposible de ondular. Finalmente me jala de los pelos y renuncia a la compañía Kankán de Danza. Pero yo ya he hablado con la directora de la escuela y ésta me espera para la celebración del cinco de mayo. Primero intento rogarle a Violeta. Le digo que yo puedo ser un farol en el escenario mientras ella baila alrededor de mí como si estuviera en una calle. Hasta podríamos poner la música de *Bailando bajo la lluvia.*

–Esfúmate–. Es su respuesta.

Miro a mis otros hermanos buscando algún talento. Carlos se acaba de meter el dedo en la cola y se lo puso en la nariz a Yasmín quien se pone a llorar desconsoladamente.

Susana sugiere que en lugar de baile hagamos una historia de amor en teatro. Yo miro a la bebé Valeria y se me ocurre un gran show. Cuando llega el lunes, le pongo el vestido rojo y yo me pongo un saco negro y una boina de Etienne.

Al llegar a la escuela de noche con la bebé Valeria, la directora se sorprende, pero no me pregunta nada. Me da instrucciones de cuándo debo entrar. Primero va a anunciarme como la compañía Kankán de Danza y luego de que ella baje del foro, yo puedo entrar. Asiento.

Me encuentro nerviosa. No sé si el acto va a funcionar, pero el pago me hace seguir adelante. Pasan muchos minutos en los que el maestro de ceremonia habla de la batalla de Puebla, cuando el heroico ejército mexicano derrotó al ejército francés. Valeria está desesperada y yo la sacudo bruscamente para que se calme, le digo que ya mero vamos a entrar.

Finalmente escucho las palabras, veo bajar a la directora y subo las escaleras del foro. Hay por lo menos cien espectadores. Todos aplauden. Yo pongo a Valeria en el suelo y extraigo del bolsillo secreto del saco de Etienne el tarro vacío de crema de cacahuate. Lo pongo en la otra esquina del foro y hago ruido para llamar la atención de la bebé, pero ella está apuntando con su dedito a la multitud. Le hablo, pssst, Valeria, aquí. Finalmente voltea y descubre el tarro sobre el escenario. Gatea a toda velocidad para tomarlo. Con una toalla lo cubro y hago como un torero y le quito el tarro para depositarlo en la otra esquina. Valeria vira y vuelve a gatear a velocidad desaforada hacia el tarro. Repito lo mismo y digo olé y pido aplausos a la multitud que está boquiabierta. Toreo a la bebé por todas las esquinas del foro con algunos cambios, como aja toro, hasta que Valeria suelta un grito de llanto y empieza a patalear desquiciada. Yo me paro frente al público y hago una caravana. Los aplausos son aislados. Levanto a la bebé del piso que sigue llorando a todo pulmón. Ya abajo, le ofrezco el tarro y cuando lo abre para descubrir que está vacío, echa un grito con la intención de tatuarlo en el alma de todos los presentes. Yo solo pienso en el pago. Rápidamente la directora sube al foro y anuncia a dos hermanitos que van a bailar el jarabe tapatío. Luego desciende y va directo conmigo. Yo le sonrío. Valeria sigue gritando. Nos jala a su oficina. Me reprende. Me llama cruel y despiadada. Le da un dulce a la bebé para calmarla y a mí unas monedas con tal de que no vuelva jamás. Cargo a Valeria y regreso contando los huevos que no podré comprar.

XVI

–Estoy embarazada –dice Susana, quien apenas tiene catorce años. Nos da la noticia tapándose la boca en un ataque de risa y yo pienso en cuántos huevos más necesitaremos. Se parece tanto a ti Giganta, cuando te ríes de los recuerdos junto a tu hermana Mónica, cuando ya han pasado muchos tequilas y se ponen a hablar de parcelas, caballos, pretendientes hacendados, maestros rabo verde.

Con la noticia del embarazo de Susana te has recargado en la estufa, cerca del comal donde estás cociendo las tortillas y revuelves papas con chorizo. Primero un plato sobre la pared y Susana se tapa la cabeza. Luego otro.

–No, no, no. Tú vas a esa plaza donde conocí al pinche francés y en lugar de mirar a un extranjero, te vas a encontrar a un indio que tenga parcela y cochinitos y vacas y muchas ganas de trabajar. Nada de carreras de ingeniería, la inteligencia está sobre calificada.

–El bebé es de Felipe –confiesa Susana sin parar de reír–. Es que estábamos haciendo un experimento para ver si era joto.

Entonces revientas la sartén con todo y papas sobre la pared. Gritos y maldiciones. Te desconozco, Giganta, porque estás quebrando todo, gritando que estamos aquí por muy poco tiempo, no tenemos con qué vivir, miren esto, miren esto, y revientas un vaso sobre la pared. Vamos a hacer todos un viaje a Mazatlán y no es lo mismo nueve, diez, que once, de ninguna manera, cómo pudo suceder. El cómo es tan estúpido, Giganta.

De alguna forma sobrehumana queremos todos empatarnos con tu vientre, tierra de extranjeros, perfecta fertilidad para espíritus sin dueño.

–Mamá, es una broma.

–¡Hija de tu pinche madre! –Con la sartén en la mano correteas a Susana que se sale a la calle por el patio.

Regresas y comienzas a cerrar puertas y ventanas. Estás echando todas las maldiciones del mundo. Agarras una silla y te subes para buscar en la parte de arriba del ropero una pequeña caja de metal con líquido. De prisa, de prisa, empiezas a sacar toda la ropa del ropero, a juntarla con la sucia, con la limpia que está en el suelo, sobre un colchón.

–¿Qué pasa, mami? –te pregunta Oscar.

–Nos vamos a Mazatlán. Ayúdame a poner toda la ropa arriba de la cama.

Saltos y porras porque nos vamos de viaje. Los más chicos ayudamos a apilar garras. Yo voy por el vestido rojo de Valeria que me sigue a gatas contagiada por la felicidad. Y tú, con la mirada inyectada, vuelves a treparte al ropero hasta palpar con las manos una caja de cartón mediana. Adentro están las bolsas de plástico impresas por la Editorial González Garcés y Asociados para entregar los libros pedidos. De prisa, de prisa, nos das una a cada uno con la instrucción de que metamos la cabeza hasta el cuello.

Yo se la coloco a Valeria, pero le queda grande y se la quita y dice:

–Aquí tá bebé.

Carlos, Yasmín y Oscar, sentados sobre una colchoneta, están riendo divertidos y juegan a ponerse de gorrita las bolsas de plástico.

Por primera vez descubro en Violeta una mirada llena de asombro, auténtica y profunda. Pero solamente son unos segundos, porque luego le regresa esa sabiduría ancestral y agarra su cajita del tesoro y gritando «salvación por todos mis amigos», corre al patio donde está Susana:

–¡Pinche loca, nos quiere matar!

Una menos, dos menos, tres menos, qué importa, Giganta. De prisa, de prisa rocías la ropa con el líquido de la caja metálica y también la madera de la base de la cama, el ropero, la silla, las cortinas, dibujas sobre el piso un hilo del líquido y te lo llevas hacia la cocina, lo pasas por las orillas de las paredes, por la estufa, por nuestra mesa de largas bancas, por la manguera del gas y se acaba.

Ahí mismo están los fósforos que tienen la foto de una Venus como tú, pero de mármol en lugar de ébano. Enciendes uno y lo avientas a la pila de ropa que apenas hace una llamita modorra. Uno más y prendes las cortinas que en menos de una décima de segundo, ya son un gigante de fuego que desaparece rápidamente sin dejar rastro ni sombra.

–Pónganse la bolsa –les digo a mis hermanos.

–No, yo quiero ver –me ruega Carlos.

–Hazle un agujero en un ojo, como yo –le sugiere Oscar.

Sin cortinas, ahora sí puedo ver tu perfil anegado en lágrimas. Estás tratando de que crezca la pira que hiciste con la ropa sobre la cama. La alimentas de calzones, calzoncillos, calcetines, prendas pequeñas que aviven el fuego. Desesperada, te vas con los cerillos hasta la estufa y por unos segundos te concentras en encender la manguera del gas para que explote la cocina y el chisguete de lumbre haga cauce por el gaseoducto de la colonia y así volar en pedazos con todo y los vecinos con sus ojos vanos, sus corredores llenos de plantas y el rechinar de sus mecedoras que adormecen al alma. Cortas la manguera con un cuchillo y acercas el fósforo para explotar de una vez por todas, sin embargo, es tanta la presión del gas que la flama flota a unos centímetros de la manguera, como un soplete de soldadura.

–¡Oh! ¡Qué padre! –dice Carlos quien nos siguió hasta lo cocina–. Parece un truco de magia, mamá.

Yasmín grita pidiendo auxilio y yo imagino el cuarto en llamas. Hay mucho humo, pero la flama sigue bailando perezosa sobre las garras. En lo que estuvimos en la cocina, Yasmín le acomodó a la bebé Valeria la bolsa de plástico en la cabeza y la cerró con una liga en el cuello. Valeria respira pero no responde. Tú sigues en la cocina, esperando un milagro de cambio de presión en el gas para que se prenda la manguera y entre la muerte por su ducto.

El héroe de azúcar tuvo que entrar por el patio porque la puerta delantera estaba cerrada. Gracias a Violeta, Efraín ya traía con él un balde de agua que vació sobre una colcha de lana y la acomodó en la pira que seguía sin querer crecer más que unos cuantos centímetros de altura y a la redonda. Luego se dio cuenta que yo cargaba en mis brazos a Valeria dormida y trataba de despertarla. Efraín la tomó en sus brazos y la sacó al patio para darle respiración de boca a boca. Cuando escuchó que la bebé tosía y lloraba, se la dejó a Susana y volvió a entrar a la casa. Efraín te encontró mirando incrédula la llama de la tubería de gas. Una vez más, la vida te derrotaba. Efraín mojó un pequeño calcetín y lo usó como tapón en la manguera. Quitó las bolsas de la cabeza de Oscar y Carlos y les pidió que salieran al patio. A ti te abrazó y lloraste a carcajadas mucho rato sobre su hombro.

Sí era una broma de mal gusto la de Susana. Como quiera, al doctor.

–Qué va a estar embarazada está niña. Está llena de lombrices. Pero nada más –dice el doctor.

Le da una medicina a Susana y para ti, Giganta, muchas pastillas para relajarte. Combinadas con el tequila, qué risa, qué risa.

XVII

Giganta, vamos organizando los vericuetos del DDT.

Alberto, tu hijo mayor, es miembro de la Liga Comunista 23 de Septiembre. Le atormenta ser un guerrillero que se orina en la cama, pero nadie sabrá su secreto. Están por descubrirlo los dos hombres que lo sacaron de su casa a las tres de la mañana, frente a Melva, su mujer. Ni el tarot, ni las maldiciones en lenguas muertas, ni los dientes pelados anunciando venganza, ni los nombres de políticos que enlistó como sus amigos, le valieron. Ella le había hecho un trabajo de magia al jefe de la policía, por ella estaba en ese puesto.

–No se preocupe, se lo vamos a traer de regreso. Es una investigación de rutina. Y póngase el turbante, bruja, porque se le ve la pelona.

Comentario fuera de lugar hizo este judicial llamado Mateo Garza Puk. Error. Porque en una lucha política, nada es personal, todo es por la causa. Y la mujer de Alberto podría perfectamente olvidar las caras de los policías en la penumbra, no recordar las placas del coche negro. Pero la ofensa personal bastó para grabar su cara y las placas para algún día conseguir su nombre y darte la información como única ofrenda de la inexistente tumba de tu primogénito.

Melva también podría comprender que sus influencias alcanzaban un nivel local y se imaginó a sí misma, humilde con todo y su poder sobrenatural, haciendo antesala en el Palacio Nacional, yendo y viniendo a la ciudad de México con el abogado Palermo, buscando el paradero de su amado Alberto. Podría imaginarse tocando nuestra puerta para decirte, Giganta, que haces falta en una sesión espiritista donde se invocará al espíritu de Benito Juárez, del Ché o de Lincoln, no importa, el primero que esté cerca del umbral de los vivos y pueda saltar de la tumba para guiarlos. Bueno, ojalá que no sea Lincoln, porque no sabe nada de lenguas muertas y siempre quiere hablar en inglés. Por si acaso, va a estar Juanito, el vecino de la calle Gardenia.

–Sabe mucho inglés y nos puede ayudar en la traducción.

XVIII

Giganta, ¿cómo saltamos hasta Lincoln? Nos brincamos el paso de todos los demás, hay que regresar al orden, te dije el día que fui a buscarte a casa del soldado, te dije, por favor, Madre.

¿Cuál orden? Es verdad. Desde que conociste a Etienne se acabó el único orden que conocías: levantarte a las cinco, darle de comer a las gallinas, ordeñar a la higuera pues la abuela usaba la única gota de leche que salía del tallo de cada higo y formaba un líquido que les daba para la fertilidad.

–Pues chinga tu madre, madre–. Le dijiste cuando una tarde, reposada en tequila, te reías de tener tantos hijos. No has querido probar un solo higo desde entonces. Y también estás segura que esa leche es la culpable de que el abuelo se la pase estirando su pene de moco de guajolote.

Ese era el orden perfecto. Hasta un caballo estaba en el panorama de tu orden. Lo amabas.

Con él te hacías el amor montada a capela entre abrojos y mezquites. Jineta solitaria. Con el caballo subías una parte de cerro y ahí esperabas al hombre de tu vida. Creías que el indio estaba descansando bajo uno de los tantos molinos que divisabas desde las alturas.

¿Cuándo te ibas a imaginar que hablaba francés? ¿Que amaba a la esposa que entonces tenía? Que mientras tú cabalgabas entre abrojos, él cargaba con entusiasmo a sus dos pequeños, uno en cada brazo, y les informaba que se iba a un corto viaje a México, a entrenar a un puñado de ingenieros civiles.

–Esta topografía sí es un reto – les dijo Etienne a sus hijos –. Dicen que es pura montaña. Si quieres conocer su topografía solo tienes que hacer bulto una sábana, como si la fueras a lavar, y ese es México.

Enseguida Etienne se compró una guía que poco o nada tenía que ver con la realidad. En la guía encontró fotos de hoteles, museos, artesanías, edificios históricos, ríos, lagos, puertos. En el bar, un amigo le recomendó leer sobre aztecas, mayas, tzotziles, lacandones, zapotecas: perfecta belleza.

–Punta de cabrones. Demonios enloquecidos. Bellacos. Sabandijas de resumidero –dijo cuando le dinamitaron a su gente.

Pero hay otro México, Etienne. Yo no sé qué estás haciendo en la sierra. Este México tiene camiones, gritos, risas, llantos, algarabía y hasta un supermercado enorme. Toda una civilización, diría De Gaulle.

Un México con el ADN violentado que ahora está sentado alrededor de otra nostalgia: arre chú, arre chou, dice el viajero a los dos perros que jalan su trineo. Es un invierno cruel en las montañas francesas. A lo lejos se mira una lucecita y puede verse el humo de una chimenea haciendo escaramuzas entre los tupidos copos de nieve. El viajero no sabe si llegar a ese lugar o continuar buscando el camino que lo llevará a su casa, donde le espera una cena caliente y sus tres adorados hijos. Está perdido entre la nieve y la ventisca. Ya lleva muchas horas así.

–Muchos años –interrumpes la historia de Etienne para burlarte.

Etienne nos manda a dormir siempre en la misma línea, sin atreverse jamás a llegar a la única casa que puede mirar desde su tormenta. Yo me meto debajo de la cama y los oigo hablar. Él quiere tocarte, Giganta, pero tú, como al tío Toño, también le das unas cachetaditas para que se calme, porque sabes, Giganta, que al final, nadie te ha querido más que tu imaginación.

Ya lo dijimos, esto es un experimento. Borrador de una vida subjetiva. Y en ese ensayo genético, a tu segundo hijo, Efraín, lo cernieron para ordenarle el caos de la alianza. Lo colaron y lo amasaron en la tierra del perdón. Tal vez nadie les informó que se necesita mucha malicia para subsistir en esta dimensión o a su espíritu le jugaron una broma. Tiene un lago de miel en el iris que armoniza los timbres emocionales. Los bucles negros caen abajito de su nuca. Su piel, exquisita aleación de cantera rosada y blanca. Desencaja en la escuela, en los lodazales, en el río, en las calles, en la tienda. Parece una irreverencia humana cuando lava un coche y todas las maestras lo chulean en la escuela. Siempre cargando a Valeria o a Oscar, y una bolsa de plástico con sus trapos y detergentes para lavar coches. Su ingenuidad es tan precisa como su ira divina. Tiene un sistema único de justicia que aplica cuantas veces cree necesario. Solamente sabe hacer dos cosas bien: amar y pelear. Contradicción de arcángel. Ha pensado en matar al Doctor que se coge a Felipe. Ha pensado también en llevarnos a todos lejos, donde no nos encuentre ni Dios.

Ahora está llorando frente a un policía. Le dice que por favor lo perdone: él nunca intentó robarse el camioncito de redilas. Bueno, sí intentó, obviamente, pero su objetivo final era otro. Quería llevarle algo atractivo a su hermano Felipe para que ya deje de visitar al Doctor.

–Por favor, no lo vuelvo a hacer.

El policía lo mira incrédulo. Es un muchacho hermoso a quien nada debería ser negado sin arriesgar las indulgencias plenarias que se ganó destrozándose las rodillas hacia la basílica. No se le puede decir que no a un extranjero. Extra terrenal. Extra bello. ¿A quién se parece? Sí, claro, a las estampitas de Jesús niño. No. No. Sería un castigo divino, sepa Dios de dónde venga este muchacho, pero definitivamente ladrón no es.

–Está bien, dame el camión. Corre. ¡Y no vuelvas! –Alcanza a gritarle.

Pero Efraín, ágil como guepardo, ya dio vuelta en la esquina de Sears y va por la avenida Juárez, resollando.

–Puterías para Felipe, eso es lo que necesito entender–, se dice a sí mismo mientras observa las pestañas postizas y los labiales que se venden en la puestos de la acera. Para eso sí le alcanza.

¿Por qué no y por qué sí?

–No todo lo debemos entender, cerebro de chorlito.

Perfecta reconciliación. Carros, tanques de guerra, rifles, pistolas, camiones de redilas, trenes, no sería más que competir con el Doctor, en una carrera de antemano perdida. En cambio, un cálido secreto:

–Te pusiste mucho lápiz labial y no debe notar que te pintaste. Guácala, sabe a cera con perfume. Menos. Menos. Así. Perfecto.

Y Felipe sonriendo con sus dientes chuecos y los labios de un naranjita discreto. Parece niña artista en un póster.

XIX

–Este es el señor Alcántara. Nos va a acompañar al cine. Ten–. Me extiendes la red de plástico con los pocos productos que sobraron de tu venta. El señor Alcántara es un hombre moreno con traje de militar.

–¿Cuál película quieres ver, muñeca linda? –Luego volteas con Alcántara y le dices–: Vamos a llevarla a ver *Fantasía*. Sí. Sí–. Brincas como la bebé Valeria cuando se quiere salir de casa. Y te ríes. Y el soldado sonríe también, tiene los dientes frontales enmarcados en oro y los ojos acuosos por el vino. Los dos caminan delante de mí. Él lleva las manos en los bolsillos y tú pasas el brazo por su cintura. Van platicando y yo miro tu cuerpo ceñido en un vestido azul y los tacones altos llenos de aserrín de la cantina de donde tú y el señor Alcántara finalmente salieron aquella tarde.

El soldado te prometió encontrar al policía Mateo Garza Puk. Conseguirá su dirección a cambio de mi miedo mientras me quedo sola en el cine. Me dices que vas a traer dulces, pero no vuelves. Ya salieron los créditos y el conserje me pide que me vaya, van a limpiar la sala. Y tú y Alcántara a saber, tal vez regresaron a la cantina. Pero yo me sé el camino. Y voy contando medidores de agua, porque todo está muy limpio en la calle, no hay ninguna piedra. Luego la calle se va ensuciando y el ruido de la música mexicana va siendo más insoportable. Me voy acercando a La Flor Negra. No estás. Ni tú ni Alcántara. Está la Carla, aquel hombre de voz espeluznante. Pero él se vuelve tierno y me dice que no puede creer que me hayas dejado en el cine. Me pide que te espere en la acera y me trae lentejas. Pero ya no hay hormigas, Giganta, solamente la penumbra del cuadrito de luz que sale de la cantina. Y yo recuerdo cuando se acabó la música de *Fantasía* y prendieron las luces. Te busqué, Giganta, en cada asiento vacío. Las palomitas huelen a miedo puro, pero qué importa porque Alcántara también conseguirá una fotografía del policía Mateo que retrata su inconfundible cara de globo con bigote espeso, sus orejas pequeñas y el pelo ondulado brillante de grasa y sudor. Porque no es lo mismo que la madre decida sobre el destino del hijo, a que Mateo le haya arrancado el corazón, porque eso dijo Lincoln:

–Rippen heart. He is now in the world of dead. He sends his regards.

El traductor dijo corazón destrozado. Está ahora en el mundo de los muertos. Manda sus saludos. El cuerpo lo podemos encontrar en un paraje abandonado, no muy lejos de la estación de trenes de San Juan. ¿Sabes cuántos san juanes hay? No importa. Melva, la mujer de Alberto, irá a cada uno de ellos y peinará la zona para derrotarse en menos de seis meses, asegurar que Lincoln era un espíritu bromista como buen acuariano. Eso sí, jamás mentiría sobre el estado de vida o muerte, pero sí era capaz de gastar una broma geográfica. Además, no dijo St. John. Dijo Sanjuan, zaguan, santán, sanpan, xiancán. Solo Dios sabe. Puede estar en cualquier lugar. Borrado el borrador de la faz de la tierra. Hijo de Etienne paralelo, borrador de hombre que obligó al padre francés a abandonar a su familia de verdad. Primer miembro del ensayo cósmico. Podría haber sido perfecto, de no ser por los meados. Gran conversador cuando no se orinaba. Se esforzaba tanto por agradar al padre aprendiendo francés, logaritmos, ajedrez, astrolabios. Leyó a Balzac, Sartre, Marx y Zola. Recitó pasajes de Víctor Hugo, pero Etienne lo corría de su mesa y le decía:

–A dormir. Y no te orines.

El padre solamente quiere tallarse el pelo hacia atrás. Dar largos sorbos al tequila. Buscar una salida de esta caja de zapatos enorme donde está metido, sin nadie que le aviente una escalera. Efraín, el segundo borrador, hace su aparición en la cocina. Cómo se parece a sus hijos de Francia. Etienne estira los brazos para darle un abrazo temeroso, si pudiera llorar sobre el hombro de sus hijos. Si pudiera con esa tierna fuerza abrazar a Gerard, Francois y Gilles. Si pudiera un telegrama llegar, porque manda y manda postales que no caen más que en el rotundo silencio de su ofendida esposa Margalit. Tenían ocho, seis y cuatro años cuando Etienne se vino a México. Los hijos de verdad que le reventaron el amor paternal y develaron el histrionismo de los cuentos, el frío, la chimenea, las navidades y los regalos. Por ellos sería capaz de todo.

–Ve a dormir –le ordena a Efraín–. Estoy esperando a tu madre. Ya no debe de tardar.

Etienne quiere que se vaya porque va a platicar con sus hijos de Francia.

Conocemos bien el ritual. Le gusta quedarse solo en la cocina. Canta bajito y murmura, saca las fotografías ya borrosas de los niños chimuelos y de pronto todo se vuelve puros balbuceos que no entendemos. Se justifica, se ríe, les cuenta, retrocede diecisiete años, cuando les dijo que pronto regresaría. Pero después vino este experimento mexicano. Etienne está esperando una chiripa genética de este ensayo que no tiene pies ni cabeza. Algún hijo que componga música o encuentre la fórmula matemática para que todo el cieno de la ira se asiente. Algún experimento pintor, o mínimo arquitectónico que construya aunque sea algo parecido a su infancia.

En eso entramos tú y yo, Giganta. Traes una botella en la mano. Yo, todo el miedo de perderte en el cine. Al no encontrarme, corriste desaforada a La Flor Negra para buscar nuevamente a tu soldado y que ahora te ayude con la desaparición de otra muñeca. Pero yo estaba ahí. Te sentaste conmigo en la acera. Con un abrazo cálido me reprochaste el susto y juntas regresamos a casa.

–Pinche francés. –Le dices cuando entramos– ¿Todavía estás aquí? Ese sí es un milagro de Dios.

Etienne te ignora y sigue pensando en sus hijos franceses. Son unos hombrecitos ya. Si pudiera tener una fotografía, por lo menos. Algo, madre, Margalit, mándame algo de ellos. Dime por lo menos si están vivos. Pero el silencio persiste.

XX

–Si murió doña Crucita, hay que poner una tienda.

Etienne ve cada vez más lejos la posibilidad de ganarse un premio con el ramillete de estrellas. La realidad de volver a Francia se deshace cual hielo en la estufa. Para él, como para el resto del mundo, Francia no es más que una hermosa postal.

Espera. Se pueden tener las dos cosas. Todo es cuestión de calma. Necesitamos dinero. Etienne sabe que Margalit, su mujer francesa, no quiere saber de él, pero tal vez sus hijos sí lo quieran ver. Puede compaginar perfectamente en esta historia a todos.

–¿Con qué dinero? –preguntas, Giganta, porque a Etienne no podemos asirlo: es un globo de helio atorado en unas ramas. Pero tú ya estás cansada de traerlo y traerlo. Estás cansada de probarle al mundo que puedes. Y ya no quieres retener a Etienne, ni sostener el sol, ni a tanto piojo. Nos hablas de uno por uno, mientras Etienne sueña con el éxito de la tienda. Es mi turno y me pongo en tus rodillas. Cargas con una mano el tequila y en la otra, el DDT para los piojos. Chorros para el bosque ingrato del cráneo. Me quema la frente. Me provoca comezón atrás de la oreja. Me irrita, me escuece, me abrasa.

–Quemarte es mejor que tener piojos. Espérate, no te muevas–. Me ordenas para luego ponerme una bolsa de plástico que ahogue de una buena vez a todos los parásitos. Pasamos por tu regazo un moreno aperlado, un blanco y un güero, hasta ahí te alcanza el orden después de tantos tragos.

Yo soy la sexta en turno, el sexto tequila, la sexta desparasitada, el sexto chorro de DDT, el sexto huevo, el sexto experimento amatorio. Desde el número cuatro vas siendo más espléndida con el DDT, el chorro corre como el tequila por tu garganta, hasta Etienne que ahora está silbando una canción, tiene puesta una toalla en la cabeza empapada con DDT. Está emocionado haciendo el dibujo de Los Apóstoles para ponerlo en la tienda que abriremos y que nos dará el dinero para poder viajar a Francia. Vamos a ensayar nuestra ida a casa de Etienne. Nos esconderemos atrás de un árbol y cuando sus hijos lo abracen, nosotros saldremos de uno por uno y saludaremos en francés. Debemos respeto a nuestros hermanos mayores. Gracias a su media orfandad, nosotros tenemos padre.

Con esta tienda nueva que abriremos, conseguiremos dinero vendiendo pan, huevos, leche, tomate. Ya sin piojos tendremos un pasaporte lustroso. Mientras nosotros saludamos a nuestros hermanos franceses, a ti, Giganta, te dará mucho dinero para que te compres cosméticos de los buenos, no esas mugres que vendes y que te están despellejando los labios. Allá te comprarás perfumes exquisitos, no como el que usa Violeta.

–El otro día no pude dormir porque todo el cuarto olía horrible –dice Etienne.

–No pudiste dormir por la conciencia –terminas la conversación.

Etienne ya acabó el anuncio que pondremos afuera de nuestra nueva tienda. Es un dibujo enorme con una galaxia nebulosa donde sobresale un ramillete de doce estrellas brillantes y unas letras grandes que dicen TIENDA LOS APÓSTOLES.

Ahora nomás falta la mercancía. Un préstamo del neurocirujano.

–Oye y ese Doctor ¿por qué nos quiere tanto? –Inquiere Etienne–. ¿Y por qué no? Tal vez en lugar de una chiripa genética seamos agraciados con un mecenas millonario. Claro que sí. Vamos a la tienda. Nos subimos todos a un camión de ruta. Acabamos de bañarnos. Vamos ruidosos y contentos. Es la primera vez que veo a Etienne arriba de un autobús y casi topa con el techo. Viene con un saco de lino raído, una corbata vieja, su sombrero panamá y un cigarrillo entre los labios. Se sienta contigo, Giganta, y nosotros todos atrás. Bueno, todos menos Alberto. Venimos Efraín, Susana, Felipe, Violeta, yo, Carlos, Yasmín, Oscar y la pequeña Valeria con su vestido rojo.

Llegamos a un supermercado. Nunca antes habíamos visitado algo tan grande y tan hermoso. En dos carritos vamos subiendo mercancía. Dulces, chocolates, bombones, crema de cacahuate, huevos, tomate, chile, cebolla, tequila, tequila, ¿otro? Un coñac, por favor, nos va a traer suerte. Está bien, Etienne. El regreso es más cansado, pero venimos felices.

Felices porque olvidamos por unas horas que Alberto ya no está. Que en unos cuantas días más Efraín se liará a golpes con su propio padre y desaparecerá de nuestras vidas. Que Felipe sigue en el trenecito con el Doctor. Susana sueña con el hijo del zapatero. Violeta con los ojos cada vez más pelones por el insomnio y los rulos puestos en el pelo. Carlos manejando sus carritos imaginarios. Yasmín llora por todas las sombras de la casa. Y el pequeño Oscar, con apenas cuatro años, abre la boca para decir:

–Esta casa es un desmadre.

¡Voilá! Al fin, un genio de la sociología.

Y se escuchan tus carcajadas, seguidas de las de Etienne. Nos reímos todos del comentario.

–¿Ya me dijiste por qué el Doctor nos quiere tanto?

–Sí, Etienne, le caemos muy bien.

Vaya. Un mexicano inteligente que puede intuir que estos niños preciosos están hechos de pura leche cósmica.

Seguimos contentos. Cada uno de nosotros carga bolsas llenas de comida, dulces, verduras, sopas. Cantamos en el camión. La gente nos mira y sonríe, chulea a toda tu hilera de hijos. Etienne saca el pecho henchido de orgullo y nos habla en francés como si le entendiéramos.

XXI

Etienne nos convoca a todos en la cocina para que confesemos quién se comió los dulces, chocolates, bombones, panes, frutas y dónde está el tarro de crema de cacahuate.

Nos tiene formando un semicírculo alrededor de su silla. Es temprano en la mañana y tú ya saliste a vender productos. Valeria señala con un dedito los estantes vacíos y luego se pone a llorar. Todos lloramos. Negamos con la cabeza baja. No sabemos quién se comió todo. En pleno concilio tocan a la puerta, es nuestro primer cliente. Desconcertado, mira los anaqueles. De toda la mercancía solamente quedan unas sopas de lata y unas cebollas. El cliente no sabe qué hacer. Más por solidaridad que por necesidad, nos compra una lata y se va con ella en la mano porque tampoco hay papel para envolver.

–¡Así no vamos a llegar a ningún lado! –Grita Etienne golpeando la mesa y luego le da un trago a la botella de tequila. –No pensé que fueran tan brutos. Primero uno vende, luego puede disfrutar de las ganancias. ¿Qué vamos a hacer ahora?

Al final resultó bueno que no hubiera nada en la tienda porque esa misma tarde nos cayó el inspector de permisos.

–Punta de cabrones–, les dijo Etienne –¿Por qué no inspeccionan a los políticos de este país de *merde*?

Y tú, en La Flor Negra. Alguna vez te pedí que no te fueras tanto tiempo, porque el ingeniero francés, para matar las horas en que no miraba las estrellas y tú no estabas con él brindando en eterna celebración, nos torturaba con teoremas, tangentes, hipérbolas, coordenadas para localizar cucarachas en el piso. Teníamos todo el suelo marcado de números, meridianos, hemisferios y grados. Nos hacía navegar por horas en un océano de polvo y babas de Valeria. Teníamos que aprender los porcentajes de magnitud de un telescopio. Nos ponía a localizar a los otros en las coordenadas *x*, *y*, *z*. Y Yasmín llorando porque no entendía nada. Y yo, esperando a que tú llegaras o que él quisiera estar sólo para poder meterme debajo de la cama.

Guardo ahí muchas monedas robadas a doña Crucita. También tengo un broche y una navaja suiza con tijeritas que le saqué a Etienne de su costal de lona. Mientras duermen, he ido cortando mechones de sus cabellos. Los envuelvo en cinta adhesiva con el nombre de cada uno. Luego los pongo juntos en una liga y caen en forma de flor: cabellos dorados, negros, rojizos. Juego a no ver los nombres y adivinar su dueño. Juego también a ver sus reflejos de colores bajo la lupa. Juego a que los toco entre mis dedos y los siembro en un jardín hermoso y que nacen muchos bucles. Cascadas doradas y negras, entrelazadas, formando toboganes divertidos para las hormigas. Me falta conseguir un mechón de Violeta, siempre duerme con rulos en la cabeza.

Lo peor de los días con Etienne desempleado son las fracciones. En nuestra incomprensión de dividirlo todo, Etienne se desespera y empieza a insultarnos: por eso ningún mexicano comprende las fracciones. Punta de cabrones, se refiere ahora al sistema de educación pública. Las fracciones se deben enseñar todos los años hasta que sepamos que uno entre doce no es lo mismo que fuimos doce Los Apóstoles y cómo le hicimos para tragarnos toda la mercancía de la tienda. Brama como tigre enjaulado. Luego nos cuestiona tu paradero. Uno de nosotros tiene que saber a dónde te largas todas las noches.

Etienne sospecha que el neurólogo tiene un amorío contigo.

Ya es muy noche en el barrio cuando me manda a la casa del Doctor a pedirle dinero y de paso, como quien no quiere la cosa, me asome bien adentro para ver si estás ahí.

El amante de Felipe no anda de buen humor. Hace unas horas, cuando apenas oscurecía, un grupo de madres enardecidas le aventaron piedras a su casa. Le estrellaron todos los vidrios y él tuvo que llamar a la policía. Madres de pandilleros que saben agruparse incluso contra las autoridades. Madres que antes que tú misma, Giganta, se dieron cuenta de que el Doctor metía a Felipe y le hacía caros regalos. Madres que no permitieron que sus hijos se acercaran a esa casa. Yo le pido dinero para Etienne y le llevo el plano astronómico que dibuja a Los Apóstoles: mi padre se lo manda de regalo a cambio de unas cuantas monedas. Debo recitarle lo valioso que es ese mapa que algún día hará famosos a quienes decidan invertir en este descubrimiento.

El Doctor está desencajado. Me pide que pase a la sala y se asoma por entre las cortinas y a través de los cristales rotos. Me cuenta que tiene muchas amenazas de muerte y debe salir de ahí. Yo puedo ayudarlo. El me dará incontables huevos. Primero tengo que llevarlo con Felipe sin que nadie sepa. Hoy en la noche deja todo. Hoy se escapa para siempre de este barrio.

El Doctor sube las escalinatas alfombradas y me pide que lo espere abajo. Hace mucho ruido. Se escucha que abre cajones, tira objetos al piso, abre una regadera, corre de un lado a otro para finalmente bajar convertido en una elegante mujer. Trae dos maletas. Su perfume invade toda la planta baja. Sonríe. Me habla con ternura y me dice que un día seré tan hermosa como ella. Se apresura para llenar dos redes de mercado con cosas de la alacena. Me pregunta si puedo cargarlas. Apenas puedo levantar las dos bolsas unos centímetros del suelo.

–¿Y el mapa de Etienne? –le pregunto al ver que lo deja sobre una mesa. No contesta. Salimos por una puertita de metal que está en la barda trasera y desemboca en un terreno baldío. Me pide que camine más de prisa, pero las bolsas que llevo son más pesadas que tus redes llenas de productos. Caminamos muchas cuadras hacia la casa. Al llegar a la esquina, la misma donde Etienne se fumó muchos cigarros cuando regresó de Oaxaca, el Doctor se detiene. Saca de su bolso un monedero. Me da muchos billetes enrollados y un reloj de oro para caballeros. Me pide que se los dé a mi padre junto con las redes de despensa. Y que le llame a Felipe, necesita despedirse.

XXII

Un hijo más, Giganta. Pero ahora no lo sabes. Estás con el soldado Alcántara. Él ya no quiere bailar contigo, prefiere a una chaparrita divorciada que empieza sus andadas en La Flor Negra.

El travesti Carla te consuela. Te dice que vayas a tu casa. Él no tendría podrida la sangre si hubiera podido engendrar por lo menos un hijo. Pero tú no regresas. Prefieres otra vida, la que sea. Estás tan cansada que no te importa volver sola a la habitación que rentó Alcántara en el barrio. Pasar por la acera frente a tu casa y ver de soslayo la luz de la ventana de la cocina, donde Etienne fuma, bebe y habla en francés.

Ya sabes que Alberto murió. *Rippen heart*, dijo el espíritu de Lincoln. Ya sabes también que Etienne, ni por cortesía, derramó una sola lágrima por tu primogénito. Ya el soldado Alcántara te vengó e hizo desaparecer al policía Mateo Garza Puk. Te dijo que le cercenó la cabeza y la enterró cerca del río San Juan para que el espíritu perdido de tu hijo Alberto se burle de él eternamente.

Ahora toda la ternura de Efraín se transformó en ira. Está a punto de irse para siempre de nuestras vidas, pero tú estás tan cansada que pasas de largo nuestro sueño y te metes a la vecindad donde el soldado Alcántara tiene su cuarto de alquiler.

Todavía no sabes que mañana ya no tendrás dos hijos más. Por ahora dormir un poco sería bueno y soñar con los maizales y asir las riendas de tu hermoso alazán y que te lleve lejos, a otra cartografía, donde tienes una milpa y otros hijos, donde no debes asistir a la Facultad de Biología para conocer los venenos que borran errores genéticos.

XXIII

Valió la pena cargar las redes por ver esa cara que desconocía en Etienne. Me recibe gustoso el fajo de billetes, la despensa y los ojos le brillan intensamente ante el reloj. Qué alegría. Este Doctor sí tiene buen gusto. Alcaparras, anchoas, abulón, aceitunas, callo de hacha, caracoles, vino tinto de Bordeaux.

Nunca pensó que su plano astronómico tuviera éxito. Qué felicidad y qué esperanza hay en esa mirada. Porque esto es solo el comienzo. El Doctor sí sabe apreciar los descubrimientos y entre los dos socios podrán ganarse infinidad de premios. Yo lo dejo como a un niño frente a una caja de sorpresas y voy hacia el siguiente cuarto. Ya es de noche y los más pequeños duermen tranquilos. Identifico la colchoneta de Felipe y le hablo despacio al oído, me da miedo despertar a Efraín, quien duerme un poco más hacia la esquina.

Adormilado, Felipe busca entre los bultos de ropa una camisa y un pantalón. Se calza los zapatos de goma.

¿Cómo salir sin que se entere Etienne? Esperar. Ya ha bebido mucho. Ya platicó con las fotografías. Ya le hizo la prueba de ácido al reloj. Pronto se quedará dormido sobre la mesa, esperando a que tú regreses de La Flor Negra. Felipe y yo nos quedamos sentados en la colchoneta, recargados en la pared. Yo miro su hermoso perfil y sus bucles desordenados. Lo peino un poco y le agarro la cara. Me recargo en su pecho para grabarme sus latidos desordenados.

Etienne lleva rato en silencio. Voy a la cocina y corroboro que ya está dormido. Regreso al umbral del cuarto para hacerle una señal a Felipe. Abro la puerta y Felipe sale sin mirar atrás. Yo lo persigo un poco entre las sombras de la noche. Veo la silueta del Doctor en la esquina. Felipe se regresa para ordenarme que no lo siga.

Tú no volviste a casa esa noche, tampoco el soldado Alcántara a su cuarto. A media tarde te fui a buscar a la vecindad. Toqué muchas veces a la puerta. Por fin abriste, me diste la espalda y te volviste a tirar en la cama. Yo me quedé mirando un rato la otra vida que habías escogido. Era un cuarto demasiado pequeño. Tenía cuarteaduras por todas partes. Estaba pintado de amarillo, pero se veía sucio, desordenado y oscuro a pesar del sol brillante de afuera. Me senté en una silla y puse los pies sobre la cama donde estabas tendida y empecé a contarte que tu hijo Felipe se había ido con el Doctor. Ya bien entrada la madrugada, Efraín nos despertó a todos con sus gritos. Acusaba al padre de haber aceptado unos cuantos billetes, vinos y latería, a cambio de la vida de Felipe. El reloj ni lo vio porque Etienne se lo metió entre los pliegues de la esperanza de volver a cruzar el mar.

Iracundo, el padre se incorporó, pero antes de que pudiera pegarle a Efraín, éste, de un solo puñetazo, lo tumbó en el piso. Así quedó el rey: boca arriba y jadeante. Todos tus enanos nos pusimos en cuclillas alrededor del gigante para consolarlo en su desgracia. Efraín daba vueltas golpeando todo, tirando todo. Se pegaba a sí mismo y lloraba. Etienne le decía que se largara antes de que pudiera levantarse para matarlo. Efraín miró a la bebé Valeria que gateaba alrededor de la cocina y se acercó para levantarla. Luego se arrepintió. Quería llevarnos a todos. Nos miró unos instantes, agachó la cabeza y se fue.

–¿Qué horas son? –Me preguntas adormilada. Busco el reloj despertador y descubro en la mesita muchas envolturas de medicinas vacías. Otra vez no lo lograste, Giganta. No fue suficiente la dosis. Pesadamente te incorporas. Buscas un papel y una pluma. Escribes con la mirada digna y la cabeza levantada hacia arriba. Has vuelto, Giganta.

–Llévale esto a tu pinche padre–. Doblas el papel y me lo extiendes.

XXIV

A Rouen, a Rouen, en un caballito alazán. A París, a París, en un caballito gris. A Bordeaux, a Bordeaux, en un caballito que galopó, galopó, galopó. A esto jugaba Etienne con Valeria y Oscar en sus piernas mientras las movía imitando el galopar de un caballo.

Le extiendo tu mensaje.

–*Allez* –les dice a los dos pequeños.

Antes de empezar a leer me cuestiona tu paradero. Le digo que te vi en la esquina con tu red de productos. No le digo dónde estás. Quiero guardar tu secreto.

Empieza a leer la carta de su liberación donde le pides que se vaya. No piensas regresar mientras él esté aquí. Sus manos tiemblan un poco cuando dobla el papel para guardarlo también en los pliegues de su esperanza.

Nos llama a todos a la cocina y nos dice que ha conseguido un trabajo en París y debe marcharse. Pero de allá nos mandará muchos regalos.

Violeta suelta un alarido y dobla el cuerpo hacia adelante. No lo puede soportar. Ella llegó a esta vida para él. Sabe que la está engañando. Susana, en cambio, le pide que le mande un vestido de princesa y muchas, pero muchas novelas de amor. Valeria también apunta con el dedito al vestido rojo. Carlos ayuda al padre a meter las pertenencias en su costal de lona.

Desconsolada, Violeta se va al rincón y abre su cajita de ahorros para La Sorbona. Oscar abraza al padre de las piernas, como queriendo retenerlo. Yo me meto debajo de la cama y saco mi bolsa de plástico donde guardo los mechones. Luego voy al rincón de Violeta y le pido un pedazo de su pelo para completar el jardín de los cabellos.

–Esfúmate, idiota–. Violeta tiene toda la cara llena de granos que empiezan a hincharla.

A falta de fotografías, le doy a Etienne la bolsita llena de bucles de colores para que la cargue en su cartera y algún día, en Francia, recuerde que en México sí sabemos fraccionar espíritus viajeros.

Etienne se puso su sombrero y su traje de lino blanco, cargó su costal de lona sobre el hombro y sin decir una palabra más, salió a la calle. Lo seguí un rato por la acera y como si oliera tu esencia, se paró frente a la vecindad del soldado Alcántara. Por un momento pensé que sabía. Creí que entraría a buscarte, pero encendió un cigarrillo y siguió caminando de prisa, echando humo como una máquina de vapor vertical.

Te diría que fue la última vez que lo vi, pero dado que para los borradores cósmicos no existe ni la muerte ni la distancia, que los ejes *x*, *y* y *z* no son más que agujas desordenadas, me tocó verlo una vez más.

Fue en Jerusalén: lenguaje universal del fracaso de la muerte. Aunque yo no fui a parar ahí por eso, sino porque tenía un traje sastre y unos lentes de aumento y un pelo recogido en una foto que me titulaba como Licenciada en Física. De algo sirvieron los logaritmos, la búsqueda de átomos cuánticos en las pelusas de polvo bajo una lupa y un rayo de sol, el astrolabio, los espejos, el incendio que me permitió ver el comportamiento de los materiales, la fuga de las cortinas, la evaporización de la esperanza, la acústica de los gritos, los saltos ingrávidos de Violeta que salió corriendo hacia afuera del patio, los platos de plástico que terminaron como esculturas de angustia.

Y no porque Jerusalén sea importante para esta ocasión, sino porque vi a Etienne. Claro que no lo buscaba, teóricamente él no debería estar ahí. Sin embargo, cruzando una calle de la ciudad, asustada porque la luz del semáforo se puso ámbar en unos cuantos segundos y yo debía de cruzar una avenida de más de cuatro carriles, del otro lado de la acera, subiendo los brazos en cruz, me esperaba Etienne. Caía sobre su figura el mismo abrigo raído y de la cabeza colgaba el sombrero panamá. Me le aventé a los brazos y él me abrazó. Bastaron dos minutos para reparar la ausencia. Dos minutos sobre su pecho donde podía escuchar un corazón anochecido. El me saludó en hebreo, luego habló algo que podía ser ruso. Avergonzada, levanté la mirada: era otro hombre.

XXV

Ya pasaron varios días desde que se marchó Etienne y tú no has vuelto. Susana dice que estás suicidada y destrozada sobre algunas vías de ferrocarril y que ahora somos huérfanos, pero cuando ella se case con un príncipe, nos adoptará a todos.

Violeta siempre está dormida y sigue con su cara llena de granos. Los más chicos lloran en cada comida porque no les gusta el paté, ni el abulón, ni los caracoles. Yo sugiero que nos vayamos todos a casa de tu hermana Mónica, pero Susana dice que no porque se va a enojar mucho contigo por haberte suicidado.

Entonces, mi corazón hace muchas cabriolas que lo sacan fuera de su ritmo: escucho tu voz que viene de afuera. Me pides ayuda porque vienes con las bolsas cargadas de alimentos. Yo corro, Giganta, a recibirte en la acera mientras tú esbozas para mí, la más amada de las sonrisas.